# LES PRÉNOMS ÉPICÈNES

# CUNARD

## Library

Out of respect for your fellow guests, please return all books as soon as possible. We would also request that books are not taken off the ship as they can easily be damaged by the sun, sea and sand.

Please ensure that books are returned the day before you disembark, failure to do so will incur a charge to your on board account, the same will happen to any damaged books.

AMÉLIE NOTHOMB

# LES PRÉNOMS ÉPICÈNES

roman

ALBIN MICHEL

IL A ÉTÉ TIRÉ DE CET OUVRAGE

*Trente-cinq exemplaires*
*sur vergé blanc chiffon, filigrané, de Hollande*
*dont vingt-cinq exemplaires numérotés de 1 à 25*
*et dix exemplaires, hors commerce, numérotés de I à X*

Il ne décolère pas.

Décolérer est ce verbe qui ne tolère que la négation. Vous ne lirez jamais que quelqu'un décolère. Pourquoi ? Parce que la colère est précieuse, qui protège du désespoir.

Trois heures plus tôt, il n'y avait pas heureux comme lui.

– Tu es la plus belle. À cause de toi, toutes les autres sont laides. Non. À cause de toi, les autres femmes n'existent pas.

– Il faudra pourtant t'y habituer.

– Cinq ans que nous faisons l'amour et nous n'avions jamais été si haut. As-tu déjà entendu parler d'une pareille histoire ?

– Non.

– Tu t'appelles Reine. Au début, ton prénom

me terrifiait. À présent, je ne supporterais pas que tu te nommes différemment. Reine, c'est tellement toi. Reste dans mes bras, mon amour.

– Je ne peux pas.

– Où vas-tu ?

– Je vais me marier.

– Très drôle.

– Ce n'est pas une plaisanterie. J'épouse Jean-Louis dans deux jours.

– Qu'est-ce que tu racontes ?

– Jean-Louis. Tu le connais.

– C'est moi que tu aimes. C'est moi que tu veux épouser.

– Quand mes parents se sont mariés, ils s'aimaient d'amour fou. Ils ont eu une vie médiocre. Maintenant, ma mère sert de bonniche à mon père. Très peu pour moi.

– Avec moi, tu n'auras pas une vie médiocre.

– Nous sommes ensemble depuis cinq ans. À part l'amour, tu n'as rien fait.

– Tu ne t'en es pas plainte.

– Ne sois pas vulgaire. Jean-Louis devient le

numéro deux d'une énorme compagnie d'électronique. Il m'emmène à Paris.

– Paris !

– Oui, Paris. L'excellence, la grande vie. Ce dont j'ai toujours rêvé. Combien de fois t'ai-je dit que je voulais quitter ce patelin ?

– Je n'ai que vingt-cinq ans.

– Et moi, j'ai déjà vingt-cinq ans. Je n'en peux plus d'attendre.

– Jean-Louis sait-il que j'existe ?

– Comment pourrait-il l'ignorer ?

– Et ça ne le dérange pas ?

– C'est du passé.

– Du passé ! Il y a une demi-heure, nous faisions l'amour comme des dieux !

– C'était la dernière fois.

Reine acheva de s'habiller en silence.

– Mon amour, ce n'est pas possible. Dis-moi que c'est un affreux cauchemar, une blague d'un goût atroce, une provocation.

– C'est la vérité. Adieu.

Resté seul, il choisit la colère. Pour la nourrir,

il décide de se venger. En tuant Reine ? Sûrement pas. Cela se retournerait contre lui.

Surtout, il veut que Reine souffre. Qu'elle souffre autant qu'il souffre.

Il ne décolérera jamais.

Assise à la terrasse de son café préféré, Dominique savourait ce samedi après-midi. Elle aimait ce soleil de septembre qui la réchauffait sans la brûler.

Secrétaire dans une société d'import-export, elle était fière de son travail. Son père était marin-pêcheur, sa mère sans profession. « Tu es une femme indépendante, ma chérie, lui avait dit celle-ci. Bravo ! »

À vingt-cinq ans, elle considérait l'avenir avec confiance. Elle appréciait le célibat. L'amour viendrait à son heure. Quand elle voyait certaines de ses amies mariées et mères, elle se réjouissait de ne pas les avoir imitées. Casée, quel sort sinistre !

Elle ne s'aperçut pas qu'un homme, à la table voisine, la contemplait d'un regard fixe.

– Bonjour, mademoiselle. Puis-je vous offrir un verre ?

Elle ne sut pas quoi dire. Il prit cela pour un consentement et s'assit en face d'elle.

– Garçon ! Du champagne.

– Deux coupes ?

– La bouteille. Et du supérieur.

Le serveur apporta du Deutz et remplit deux flûtes.

– Vous avez quelque chose à fêter ? demanda la jeune femme.

– Notre rencontre.

Ils trinquèrent. Dominique n'avait jamais bu de grand champagne et s'émut de le trouver si bon.

– Comment vous appelez-vous ?

– Claude. Et vous ?

Elle répondit qu'elle se nommait Dominique et qu'elle travaillait depuis cinq ans comme secrétaire chez Terrage. Puis elle se tut, parce qu'il n'avait pas l'air d'écouter.

– Quelle est votre occupation ? finit-elle par demander.

– Je monte à Paris créer une société, dit-il du ton évasif de celui qui ne veut pas s'étendre sur le sujet.

Cet homme lui faisait un peu peur, elle ne savait pas pourquoi. Elle se calma en pensant qu'après tout, c'était lui qui l'avait abordée. Qu'importait qu'il soit déçu ?

– Vous êtes ravissante, Dominique.

Elle s'étrangla avec sa gorgée de champagne.

– Et je ne suis certainement pas le premier à vous le dire.

Si, il l'était. Jusqu'alors, il n'y avait eu que sa mère pour le lui affirmer et elle avait pris cela de qui cela venait.

– Je ne sais pas quoi vous dire, monsieur.

– Appelez-moi Claude. Nous avons le même âge.

– Je ne suis pas une créatrice d'entreprise, moi.

– Ne vous attardez pas à ce détail. J'aimerais vous revoir.

Il insista pour avoir son numéro de téléphone. Elle le lui donna à contrecœur et se leva très vite pour dissimuler sa gêne.

Si elle avait été une fille normale, elle aurait appelé une amie pour lui raconter l'anecdote. Mais il y avait toujours en elle une honte qu'elle ne pouvait expliquer. Elle en parlait si peu qu'elle en ignorait le nom : il s'agissait d'un complexe.

Elle savait que toutes les jeunes femmes n'en souffraient pas. Au travail, elle avait des collègues pétulantes habituées au boniment des séducteurs. À elle, personne ne disait de telles choses et elle en avait conclu qu'elle n'était pas jolie. En vérité, si personne ne la draguait, c'était parce qu'on pressentait son problème.

Cet homme – Claude, il faudrait qu'elle s'habitue – ne l'avait pas senti. Elle réunit son courage pour aller se regarder dans le miroir. « Ravissante », avait-il dit. Qu'avait-il vu en elle ?

Elle réfléchit. Un créateur de société n'a pas de raison de mentir à une obscure secrétaire. Il n'avait pas eu le comportement d'un homme qui cherche l'aventure. « Attendons qu'il me téléphone », pensa-t-elle.

Une semaine s'écoula. « J'aurais dû m'en douter que c'était n'importe quoi. Encore heureux que je n'aie parlé à personne de cette histoire. »

— Allô, bonsoir, pourrais-je parler à Dominique, s'il vous plaît ?

— C'est elle-même.

— Comment allez-vous ? Je suis Claude.

— Je pensais que vous m'aviez oubliée.

— Vous n'êtes pas de celles qu'on oublie. Pardonnez-moi d'avoir tardé à vous appeler. J'ai dû aller à Paris régler d'essentielles questions pour la société. Vous êtes libre ce soir ?

Au restaurant, il commanda pour elle. Elle s'étonna d'y éprouver du plaisir, en plus du soulagement – elle redoutait de choisir des plats peu distingués.

– Vous êtes très élégante, dit-il en connaisseur.

Elle parvint à ne pas rougir. « Il faut que ce soit lui qui parle, pensa-t-elle, sinon je ne vais pas y arriver. »

– Comment s'appelle votre société ? interrogea-t-elle.

– C'est en fait la filiale parisienne de la société Terrage. C'est de l'import-export.

Elle rit.

– Je savais que vous ne m'écoutiez pas l'autre jour, sinon vous auriez relevé la coïncidence. C'est là que je travaille.

– Chez Terrage ? Pas croyable !

Elle lui demanda le nom de ses collaborateurs. Il répondit qu'à part le président-directeur général, il n'avait pas d'interlocuteur. Là, elle sentit son complexe qui l'empêchait de respirer et elle changea de sujet :

– Aimez-vous Paris ?

– J'ai toujours voulu y vivre. Il y a une telle énergie là-bas.

– Je n'y suis jamais allée.

– Vous allez adorer.

– Encore faudrait-il que je m'y rende.

– Quand vous m'aurez épousé, vous n'aurez d'autre choix que d'y habiter.

Elle posa ses couverts, respira et dit :

– Je n'apprécie pas que l'on se moque de moi.

– Je suis très sérieux. Dominique, acceptez-vous de devenir ma femme ?

– Vous ne me connaissez pas.

– Au premier regard, j'ai su que vous étiez celle que je cherchais.

– À combien de femmes avez-vous joué ce numéro ?

– Vous êtes la première.

Elle se leva en tremblant.

– Je ne me sens pas bien. Je rentre chez moi.

– Vous n'avez encore rien mangé.

– Je n'ai pas faim.

Il la suivit à l'extérieur.

– Puis-je vous raccompagner ?

– Inutile, et merci pour votre invitation.

Elle marcha très vite et constata, à son soulagement, qu'il ne la pourchassait pas. Qu'est-ce que c'était que ce type ? Fallait-il souffrir de démence pour se conduire ainsi ?

L'air vif dissipa son malaise. Elle éprouva la joie du gibier victorieux, sitôt chez elle se coucha et dormit sans rêve.


Le lendemain matin, la sonnerie du téléphone retentit.

– Dominique ? Je me suis conduit comme une brute. Comment puis-je obtenir votre pardon ?

– En me laissant tranquille.

– Je comprends. Je vous donne mon numéro. C'est vous qui m'appellerez, si le cœur vous en dit.

Elle nota le numéro sous sa dictée, bien décidée à ne pas s'en servir.

Tous les dimanches, elle allait déjeuner chez ses parents. En chemin, elle s'arrêta à la pâtisserie et acheta un Paris-Brest.

Le repas se déroula sans encombre. Enfant unique, Dominique avait hérité du peu de conversation de son père et du calme de sa mère. Celle-ci, néanmoins, regarda longtemps le visage de sa fille.

– Maman, qu'est-ce qu'il y a ?

– Je ne sais pas. Je vois qu'il t'arrive quelque chose d'important.

– Arrête de m'observer, s'il te plaît.

L'après-midi, pendant la promenade, ils ne parlèrent pas davantage. Mais Dominique sentait que sa mère avait raison. Le paysage la touchait beaucoup plus fort, comme si elle le découvrait. Les gens qu'ils rencontraient la contemplaient étrangement.

– Que votre fille est devenue belle ! dit une dame à ses parents.

Pour la première fois, Dominique pensa qu'elle quitterait volontiers cette ville.

De retour chez elle, elle prit un bain pour se

calmer. Elle résista jusqu'au dîner et puis, à sa honte, elle composa le numéro de Claude. Il décrocha à la première sonnerie, à croire qu'il était resté à côté du téléphone depuis le matin.

– J'espérais tellement que vous appelleriez.

– Je ne sais pas pourquoi je le fais. Vous me rendez bizarre. Vous allez beaucoup trop vite. Je ne vous connais pas.

– C'est vrai. Je suis trop impétueux, c'est insupportable. Je ne me suis jamais conduit de cette façon, ça ne me ressemble pas.

Ils se retrouvèrent pour boire un verre. Claude fut amusant et gentil. Dominique pensa qu'elle l'avait mal jugé. C'était un garçon agréable.


Chaque soir, il lui donnait rendez-vous à un endroit différent. La jeune femme s'aperçut qu'elle attendait le moment avec plaisir.

Le samedi suivant, elle téléphona à sa mère pour demander si elle pouvait venir accompagnée au déjeuner du dimanche.

– Bien sûr, répondit celle-ci en dissimulant son émoi.

L'après-midi, Dominique annonça à Claude que ses parents l'invitaient le lendemain. Le jeune homme manifesta beaucoup d'enthousiasme et remercia.

– Est-ce que je peux te dire tu, désormais ?

– Oui, c'est plus naturel, convint-elle.

Elle débarqua plus tôt que d'ordinaire chez son père et sa mère afin de les aider. Claude arriva à 12 h 30 avec un magnifique bouquet de fleurs. La jeune femme s'occupa de le disposer dans un vase tandis que l'invité s'installait au salon. Quand elle le rejoignit, elle sut que c'était un triomphe.

Le jeune homme conversait avec charme et simplicité, fit honneur aux plats, eut de nombreux moments de distraction où il dévisageait Dominique, complimenta sans excès la maîtresse de maison et se retira après le café.

Le soir, pour la première fois, le père téléphona à sa fille :

– Ce garçon est très bien. Je suis vraiment
content pour toi.

– Merci, papa.

– Je te passe ta mère.

– Ça va, maman ?

– Claude est merveilleux, ma chérie. Il t'aime.
Il est sérieux. Et il est beau.

Ce dernier commentaire étonna la jeune
femme. D'abord, parce que sa mère ne disait
jamais de telles choses. Ensuite, parce qu'elle
ne s'était pas posé cette question. Claude était-il
beau ? Elle s'efforça de le déterminer et dut le
reconnaître. Était-elle à ce point indifférente à
la beauté, qu'elle n'avait pas remarqué celle de
Claude ? Qu'est-ce qui l'avait empêchée de s'en
apercevoir ?

Elle repensa aux vagues flirts qu'elle avait
connus auparavant et ne comprit pas. Elle
n'avait alors rien à voir avec la personne timorée
qu'elle était devenue. Qu'est-ce qui ne lui allait
pas chez cet homme ? Elle n'était pas amou-

reuse des précédents non plus et cela ne l'avait pas dérangée.

Oui, mais là, précisément, il fallait qu'elle le soit. Claude voulait l'épouser, il l'aimait. Il réunissait toutes les qualités dont elle avait rêvé et pourtant, en sa présence, elle éprouvait de l'angoisse.

À qui pouvait-elle en parler ? Elle ne s'était jamais confiée à ses amies sur ce genre de choses, elle en aurait été incapable. Cela avait-il du sens de s'en ouvrir au prédateur ?

– Allô, Claude ?

– Ma chérie, j'allais t'appeler. Tes parents sont adorables.

– Ils t'aiment beaucoup.

– C'est vrai ? Quel bonheur !

– Maman te trouve beau.

Il éclata de rire.

– Ta mère est trop indulgente.

– Claude…

– Oui ? Qu'est-ce qu'il y a ?

Blocage. Les mots demeuraient coincés au fond de sa gorge.

– Il y a un problème, Dominique ?

D'entendre son prénom dit par cette voix, sa peur se multiplia.

– Veux-tu que je vienne ?

– Non.

– C'est dommage. Je pars à Paris demain matin. Nous n'allons pas nous voir de la semaine.

– C'est pour ton travail ?

– Oui, j'ai des questions importantes à régler. Tu vas me manquer.

Il se montra gentil et compréhensif. Quand il raccrocha, elle pleura. Était-elle folle d'avoir des réticences à l'égard d'un garçon aussi aimable ? En même temps, elle dut s'avouer que cette semaine de séparation la rassurait. Elle allait pouvoir souffler.


Le dimanche suivant, ses parents lui demandèrent des nouvelles de Claude. Elle répondit les banalités qu'il y avait lieu de dire.

En promenade, elle se rapprocha de sa mère

et, au prix d'un courage immense, osa lui parler :

– Maman, je ne suis pas amoureuse de cet homme.

– Qu'est-ce que cela veut dire, être amoureuse ?

– Je ne sais pas. Tu étais amoureuse de papa ?

– Oui. Mais je me posais moins de questions que toi, ma fille.

– Tu crois que je m'en pose trop ?

– Oui.

– Quand même, toi tu n'avais pas dû quitter ta ville. Claude veut que je le suive à Paris. Y as-tu pensé ?

– Si ta vie est à Paris, c'est bien.

Silence.

– Que se passerait-il, si je ne l'épousais pas ?

– Tu te le reprocherais éternellement.

Elle soupira.

– Dominique, ne t'inquiète pas. Aie confiance, dit encore sa mère en l'embrassant.

Confiance : oui, c'était le mot-clef. Pourquoi n'aurait-elle pas confiance en Claude ? Sa mère, une femme plutôt circonspecte, avait confiance en lui.

– Quand le revois-tu ?

– Demain soir.

– Tout va s'arranger. C'est la séparation qui ne te réussit pas.

Avant de prendre son train, Claude se rendit dans une boutique de parfums, sur les Champs-Élysées.

– Bonjour, mademoiselle. Je voudrais offrir un cadeau à ma fiancée.

– Un parfum ?

– Oui. Je ne sais lequel choisir.

– Quels sont les goûts de votre fiancée ?

– Cela ne vous regarde pas.

– Je cherche seulement à vous aider.

– Je veux un parfum qui épate une femme.

La vendeuse se raidit. Elle considéra ce jeune homme que le costume-cravate remplissait d'assurance. « Dire qu'il y a une pauvre fille qui est en train de tomber dans les filets de ce pignouf !

Envoyons-lui un signal fort, histoire d'ouvrir les yeux de cette malheureuse. » Elle prit une expression péremptoire et dit :

– Chanel N° 5.

– N'est-ce pas un peu trop classique ?

– Ah, c'est LE classique, monsieur. Cela éblouira votre fiancée.

La marchande fit l'emballage le plus pompeux possible.


En 1970, le train mettait plus de cinq heures et demie à rejoindre Brest. Vers 18 heures, Claude retrouva Dominique.

– C'était long, sans toi.

– Oui, dit-elle, consciente de ce que recouvrait l'indigence du propos.

– Ta semaine s'est bien passée ?

– Sans histoires. Et la tienne ?

– Ça avance très fort.

Il lui raconta diverses choses qu'elle écouta avec effort, parce qu'elle avait du mal à s'y intéresser.

Au moment de la laisser, Claude sortit un paquet de sa mallette.

– J'ai un cadeau pour toi.

– Qu'est-ce que c'est ?

– Tu verras.

Restée seule, Dominique s'empara du paquet. Elle eut honte d'abîmer un emballage à ce point magnifique. Sur le papier, une étiquette indiquait une adresse sur les Champs-Élysées et la jeune femme ne put se défendre d'être impressionnée.

Chanel N°5 : elle savait que cela existait, point final. Jamais elle n'avait reçu de parfum. Quant à l'idée de s'en acheter un, elle ne l'avait pas effleurée. Claude était fou de lui offrir cela.

Elle quitta le café, espérant que personne ne l'avait vue dans une situation aussi gênante.

Chez elle, elle s'enferma dans la salle de bains et osa sortir le flacon de la boîte. L'objet lui parut d'une beauté inégalable. C'était le modèle d'origine, sans vaporisateur. Elle enleva le bouchon et respira : l'odeur la stupéfia trop profondément pour qu'elle puisse savoir si cela lui plaisait.

Au bureau, une de ses collègues lui avait dit qu'il fallait porter un parfum pour déterminer s'il vous allait. Il ne sentait pas pareil en fonction des individus. Dominique se déshabilla entièrement, s'assit sur le bord de la baignoire et saisit le flacon. Elle procéda comme elle avait vu au cinéma : elle imbiba le bouchon en retournant le flacon, puis elle en caressa l'intérieur de son poignet. Ensuite, elle porta à ses narines sa peau métamorphosée par l'onction : ce qu'elle éprouva alors dépassa toutes les émotions qu'elle avait vécues. Si elle avait été contrainte de mettre des mots sur ce qu'elle ressentait, elle aurait dit que cela sentait la reine d'un autre monde, l'élégance à son sommet, la beauté enfin incarnée et le baiser de ses rêves, si différent des baisers laborieux qu'elle acceptait de Claude. Mais dans l'intimité de la salle de bains, elle ne se donnait pas le devoir de nommer, elle se contenta de gémir de plaisir.

Elle renversa à nouveau le flacon et imprégna

plus généreusement le creux du poignet. Cette fois, l'effet monta en flèche jusqu'à son cerveau et elle trembla. Le dieu du parfum l'étreignit, la vieille astuce du cuir de Russie opéra et la jeune femme comprit que sa peau était le siège d'une jouissance sans limites. Elle se vit nue dans le miroir et elle sut qu'elle était belle. Détournant aussitôt le regard, elle se demanda si Claude la désirait et l'odeur ensorcelante répondit avec autorité qu'elle ne pouvait pas en douter.

Alors, elle commit l'impensable : elle imbiba le bouchon derechef et elle oignit sans mesure le haut de son cou en observant son geste dans le reflet. Une goutte de parfum coula sur sa poitrine et l'ivresse se propagea à son corps entier.

À vingt-cinq ans, Dominique ne connaissait que l'eau de Cologne, qu'elle n'appréciait guère. En lui offrant Chanel N° 5, en choisissant pour elle ce parfum somptueux, Claude lui déclarait sa flamme avec éclat. La senteur miraculeuse l'enveloppa de son trouble et elle dit à voix haute :

– Je l'aime.

De s'entendre prononcer ces mots, elle se demanda à qui elle s'adressait. Elle répondit à son reflet :

– J'aime Claude. Claude, je t'aime.

Elle frémit de la tête aux pieds. C'était donc cela. L'esprit du parfum l'avait libérée de sa peur. Claude était ce prince qui la délivrerait du sortilège qui l'emprisonnait. Par quel génie avait-il su que Chanel N° 5 était la clef de son âme ? Elle l'ignorait mais elle l'en bénissait.

Oui, elle l'épouserait. Elle vivrait avec lui. Elle habiterait la ville de ce parfum.


Le lendemain, au travail, sa collègue lui dit qu'elle avait l'air bizarre. Pour la première fois, Dominique parla de ce qui lui arrivait :

– Mon amoureux m'a offert Chanel N° 5.

Christelle éclata de rire puis commenta :

– Il n'a pas peur des clichés, ton amoureux ?

Dominique la détesta et elle attribua sa réaction à la jalousie. Comme elle avait eu raison de ne jamais se confier à elle auparavant ! On ne l'y reprendrait plus. Et comme elle avait hâte de quitter ce patelin et sa petitesse d'esprit ! À Paris, elle en était sûre, de telles mesquineries n'existaient pas.

Le soir, avant son rendez-vous, elle mit un peu du parfum qui avait décidé de sa vie. Claude avait oublié son cadeau et trouva qu'elle sentait une drôle d'odeur, mais il n'eut pas le temps de le dire. Avec solennité, Dominique déclara en le regardant dans les yeux :

– J'accepte de devenir ta femme.

Elle vit l'ébahissement ravi du jeune homme, qui demanda :

– Quel a été le déclic ?

– Chanel N° 5.

«J'avais mal jugé cette vendeuse. Une grande professionnelle ! » pensa-t-il.

– Ma chérie, je suis le plus heureux des hommes ! Marions-nous le plus vite possible.

– Pourquoi es-tu si pressé ?

– Je ne veux pas que tu changes d'avis.

Elle rit. Comme elle l'aimait !

Les noces furent faciles à organiser. Claude n'avait plus ses parents, les jeunes gens n'avaient guère d'amis. Dominique démissionna sans regret.

Le couple s'installa à Paris, dans un appartement de la rue Étienne-Marcel.

– Nous ne resterons pas longtemps ici, déclara Claude. Ce n'est pas assez chic.

Dominique n'osait pas dire qu'elle adorait ce quartier vivant et sympathique. Le centre de Paris bouillonnait d'énergie. Elle s'y promenait quand son mari travaillait et s'émerveillait du nombre de boutiques et de commerces. Même le chantier des Halles la fascinait.

Elle n'avait pas de quoi s'acheter de nouveaux vêtements mais elle s'imbibait le cou d'une trace de son parfum. Elle se sentait alors d'une beauté particulière et marchait jusqu'aux jardins du Palais-Royal, dont la splendeur lui coupait le souffle.

Claude rentrait toujours très préoccupé, le soir. Dominique comprenait. Créer cette filiale

devait être angoissant, les enjeux étaient colos-
saux. Ce qu'il lui racontait l'enthousiasmait :

– Quelles bonnes nouvelles, mon chéri ! Tu
t'en sors très bien.

Il n'avait jamais l'air content. Son épouse le
lui fit remarquer.

– J'ai de hautes exigences, répondit-il.

Elle sourit, fière de lui.

Un soir de 1971, il revint plus abattu que de
coutume.

– Que se passe-t-il ?

Il garda le silence longtemps. Elle commençait à s'inquiéter quand il parla :

– Tu n'es toujours pas enceinte !

Elle rit de soulagement.

– Ce n'est pas drôle, continua-t-il.

– Mon amour, nous n'avons pas même une
année de mariage !

– Je veux un enfant de toi.

– Moi aussi.

« Est-il normal que tu ne sois toujours pas

enceinte ? » lui disait-il désormais après avoir fait l'amour.

Ce « toujours » devenait pesant. La jeune femme consulta un gynécologue, qui la rassura : elle était en parfaite santé, aucune stérilité n'était à redouter. Quand elle annonça ce diagnostic à son mari, il parut soulagé. Il lui fit l'amour avec ardeur, elle se persuada qu'elle y prenait du plaisir.

Terrage Paris, comme il disait, prospéra vite. Les chiffres épataient Brest. Claude put engager plusieurs personnes. Le siège de la compagnie déménagea de Saint-Ouen aux Batignolles. Le mari expliqua à son épouse que psychologiquement, cela importait :

– Terrage Paris n'est plus situé du mauvais côté du périphérique. La société mérite son nom désormais.

– Bravo, mon chéri !

La joie n'était pas complète : elle n'avait pas d'aussi bonnes nouvelles que lui. Chaque mois, quand elle constatait qu'elle n'était pas enceinte, elle avait honte.

Un jour, elle eut le courage de dire à Claude ce que lui avait confié le gynécologue : le problème pouvait venir de lui. L'espace d'un instant, elle vit une lueur de haine dans ses yeux. Après un silence, il déclara :

– Je vais consulter, pour en avoir le cœur net.

Quelques jours plus tard, il eut les résultats, qu'il annonça avec morgue :

– Bon pour le service !

Dominique se consola comme elle le put. La haine est proche de l'amour. N'avait-elle pas émis un doute sur ce que les hommes considéraient avec tant d'orgueil ? Il n'empêche que pour la première fois, elle regretta de ne pas avoir une amie, dans les bras de laquelle elle pourrait pleurer.

1972. 1973. Sa vie virait au cauchemar. Un jour, elle eut l'idée de suggérer à son mari l'adoption :

– Nous pourrions être prioritaires, nous réunissons les meilleures conditions pour accueillir un petit Vietnamien…

– Arrête. Je veux un enfant de toi. Est-ce que c'est clair ?

« Je veux un enfant de toi » : était-ce une parole d'amour ? Il semblait que oui. Pourtant, Claude avait répondu cela avec une hargne qui l'avait effrayée.

Il lui faisait l'amour chaque soir. Ce n'était pas le verbe qu'elle employait dans sa tête, tant cette activité lui était devenue pénible : il n'était question que de l'engrosser, elle le savait bien.

Son ventre lui inspirait désormais de la terreur : on attendait de lui une dynastie qu'il refusait de produire. Sans le savoir, elle connaissait les angoisses de Marie-Antoinette aux premiers temps de son mariage.

Claude décréta alors qu'elle était trop maigre et que cela l'empêchait d'être féconde.

– Le médecin n'a pas dit ça, protesta-t-elle. J'ai toujours été mince par nature, c'est l'une des choses qui t'ont plu chez moi.

Il critiqua sa façon de se nourrir, lui ordonna de manger des aliments plus riches, l'observa à table avec suspicion. Dominique pensa que si cela continuait, elle allait le détester.

Début 1974, tandis qu'elle lavait la vaisselle, elle s'évanouit. Quand elle s'éveilla, Claude et le docteur étaient à son chevet.

— Ma chérie, tu es enceinte.

Depuis combien de temps n'avait-elle pas entendu son mari l'appeler ainsi ? Cela la toucha encore plus que la bonne nouvelle.

— Félicitations, chère madame, enchaîna le médecin. Mais je vous découvre plus fragile que je ne le pensais. Il va falloir rester allongée pendant toute la grossesse. Sinon, vous risquez de perdre l'enfant.

— Je suis tellement heureuse, répondit-elle, indifférente à ce diagnostic.

— Je vais te dorloter, dit son mari tendrement.

Les mois qui suivirent laissèrent à Dominique des impressions contrastées. Claude était plus présent et plus gentil que jamais, sans que cela parvînt à la rassurer. Elle éprouvait des douleurs épouvantables qui lui arrachaient des cris. Le docteur n'y comprenait rien. Elle était la seule à se douter que ces souffrances exprimaient les deux années d'angoisses térébrantes dont elle émergeait. En elle, une voix disait : « Plus jamais ça ! »

Pourtant, elle était sûre d'aimer son enfant. Elle sentait de puissants élans d'amour pour lui.

– Veux-tu que ce soit un garçon ou une fille ? demanda-t-elle à son mari.

– Les deux me vont très bien.

Elle regarda avec bonheur cet homme redevenu si aimable et rit.

– Qu'est-ce qui t'amuse ?

– Nous avons un point commun, toi et moi. Nos prénoms ne spécifient pas de quel sexe nous sommes.

– Oui. Nous portons des prénoms épicènes.

– Épicènes ? Je ne connaissais pas ce mot.

– Ben Jonson, un célèbre contemporain de Shakespeare, a donné ce titre à l'une de ses pièces. Il en fait le nom de la femme parfaite.

Il se garda bien de préciser l'ironie extrême de Ben Jonson dans ce choix.

– C'est extraordinaire, dit Dominique. J'imagine qu'Épicène est un prénom épicène.

– C'est le prénom le plus épicène du monde.

– Et si nous appelions ainsi notre enfant, qu'il soit fille ou garçon ?

– Pourquoi pas ?

Cette conversation fut l'un des moments les plus délicieux de sa grossesse. Le reste du temps, la malheureuse connaissait des tourments sans nom, au physique comme au moral. Le médecin, faute d'identifier ce qu'elle avait, lui assura qu'il s'agissait de crises de tétanie :

– Cela se nomme aussi spasmophilie. Terrible à vivre mais sans aucun danger. Vous prenez un sac en papier et vous respirez dedans : cela s'arrangera.

Dont acte. Dominique avait beau suivre cette prescription à la lettre, elle n'en éprouvait aucun soulagement. Plus elle approchait du terme, plus les crises se répétaient et s'aggravaient. Elle avait peur que l'enfant ressente son mal et cette appréhension augmentait les symptômes mystérieux.

L'accouchement, prévu pour le 20 septembre, eut lieu le 9 de ce mois. Il dura vingt-trois heures d'une souffrance intenable. La mère et l'enfant faillirent mourir. On procéda enfin à une césarienne, qui sauva in extremis Dominique et Épicène. Il était 23 h 54.

— C'est une belle petite fille, madame.

La mère aperçut le minuscule bébé avant de sombrer dans le sommeil. Tandis qu'elle dormait, on alla chercher Claude pour lui annoncer la bonne nouvelle. Il vint voir Épicène et aussitôt sa mâchoire se contracta.

Dominique mit une semaine à retrouver un peu de santé. Mais entre sa fille et elle, l'histoire d'amour fut immédiate. Quand elle la tenait dans ses bras, plus rien n'existait.

Claude téléphona :

— Je suis allé à la mairie déclarer la naissance d'Épicène. L'employé a commencé par refuser le prénom. Je lui ai appris que c'était du Ben Jonson, il s'en fichait. Alors j'ai attribué la pièce à Shakespeare et c'est passé.

– Quand viens-tu nous voir, mon chéri ?

– J'ai trop de travail pour l'instant, reposez-vous.

Lorsque la mère et la fille rentrèrent au logis, l'absence du père fut de plus en plus frappante. Dominique le trouvait plus que distant envers la petite. « Il a tellement voulu cet enfant et maintenant qu'elle est là, il l'ignore », pensa-t-elle. Elle se disait que les hommes s'intéressaient rarement aux bébés et que cela s'arrangerait quand Épicène grandirait. Celle-ci était de bonne composition : elle ne pleurait guère, faisait ses nuits, tétait son biberon sans rechigner et n'adressait à sa mère que des sourires.

– Tu as vu comme elle nous ressemble ? dit l'épouse à son mari. Elle tient autant de toi que de moi. Nous ne pouvons pas la renier !

Claude répondit par un rictus hostile. Dominique eut l'impression qu'il scrutait le visage du bébé à la recherche d'autre chose – d'une chose qui manifestement n'y était pas – et il lui parut que la mâchoire de l'époux se contractait. Elle en frémit. « J'ai trop d'imagination », conclut-elle.

– Tu ne veux pas la prendre dans tes bras ?
– Non. Je me sens trop maladroit.

Cela puait l'excuse facile.

Une nouvelle vie commença, dont Claude s'était volontairement exclu. La mère et la fille devinrent tout l'une pour l'autre. Dominique promenait la petite dans son landau, elle allait aux jardins du Palais-Royal, s'installait sur un banc, asseyait l'enfant sur ses genoux et lui montrait le monde.

Les passants s'attendrissaient au spectacle d'une maternité si heureuse. La jeune femme se demandait pourquoi le premier venu regardait Épicène avec plus d'affection que son propre père.

À l'appartement, elles jouaient ensemble pendant des heures. La petite était exceptionnellement éveillée, elle comprenait tout et éclatait de rire à la moindre occasion.

– Tu es du bonheur, toi, disait Dominique.

Quand Claude rentrait, Épicène lui tendait les bras en gazouillant.

– Ta fille te réclame, traduisait l'épouse.

– Tu es gentille, je n'ai pas le temps.

Dominique se demandait à qui s'adressait ce « Tu es gentille ».


La petite fit très vite ses premiers pas. Comme Claude, assis sur le canapé, compulsait des dossiers, la mère, embusquée derrière la porte du séjour, dit à l'oreille de l'enfant :

– Marche jusqu'à papa.

Épicène mit un pied devant l'autre avec la vaillance d'un soldat et, arrivée devant son père, poussa un cri de joie en s'applaudissant elle-même.

– Tu ne vois pas que je suis occupé ? dit-il à l'enfançonne d'un ton rauque.

– Mais elle marche ! protesta Dominique.

– Bravo, c'est bien, dit-il, comme il aurait sommé de lui fiche la paix.

Le soir même, Claude déclara à sa femme qu'il voulait un autre enfant.

– Il n'en est pas question, répondit-elle.

– Pourquoi ?

– Comment cela, pourquoi ? Tu as oublié combien j'ai souffert ? Plus jamais je ne tolérerai une douleur pareille.

Elle se garda d'ajouter que, vu son absence de fibre paternelle, elle voyait encore moins pourquoi risquer à nouveau de mourir. Il entendit que sa décision était sans appel.

Par la suite, elle réfléchit à cette demande incompréhensible de son mari. À l'évidence, il n'aimait pas sa fille. Était-il jaloux d'elle ? Il semblait que non. Il aurait pu éprouver cette jalousie si Dominique lui avait témoigné moins d'amour. Mais c'était lui qui était moins tendre que jamais.

Il avait l'air déçu d'Épicène. Un jour, elle lui demanda s'il aurait préféré un garçon.

– Absolument pas, répondit-il.

Il ne mentait pas, c'était évident. « Alors, comment peut-il être déçu pour notre fille ? » s'interrogeait-elle. Épicène avait toutes les qualités qu'on pouvait rêver chez son enfant : affectueuse, belle, intelligente, vive, joyeuse. « S'il ne l'aime pas, il n'aimera aucun enfant que nous aurions ensemble », comprit-elle.

Dominique pensait souvent au gentil garçon dont elle était tombée amoureuse quatre années auparavant. Qu'avait-il pu lui arriver pour qu'il change à ce point ? Elle ne doutait pas que la métamorphose provînt de son travail : tant de responsabilités, tant d'angoisses, avec à la clef une réussite professionnelle prodigieuse. « Il n'y a rien à regretter, songeait-elle. Il faut se réjouir de son succès dont il est si fier, quoi qu'il en coûte. Il a voulu tout ça et il m'a choisie pour être à ses côtés. »

Elle s'isolait parfois avec le flacon de Chanel N°5 qu'elle n'osait plus porter. Et respirait le parfum du temps où l'amour l'enivrait.


À l'âge de cinq ans, Épicène sut qu'elle n'aimait pas son père. Ce ne fut pas une révélation, mais la première formulation d'une vérité qui avait germé en elle une ou deux années plus tôt.

Ce qui lui mit la puce à l'oreille fut, comme souvent lorsqu'il s'agissait d'une découverte intellectuelle, une conversation avec sa mère. Celle-ci venait la chercher chaque jour à l'école maternelle et elles rentraient ensemble à pied à la maison en bavardant. Maman demandait ce qu'elle avait fait et la petite racontait les dessins, les gommettes, les chansons et les jeux. L'entretien se terminait toujours par cette question d'Épicène :

— Est-ce que papa est là ?

— Non.

Cette réponse procurait immanquablement à l'enfant un plaisir qu'elle cachait. Elle sentait qu'il eût été impoli de montrer sa joie. Mais elle se réjouissait de savoir qu'à l'appartement régnerait la douce tranquillité du monde sans papa.

Dominique s'y trompa, qui perçut du chagrin dans la simulation de sa fille. Un jour, elle crut nécessaire d'expliquer :

— Tu comprends, papa travaille. Il a réussi à

47

créer une société formidable, il emploie beaucoup de gens. Il ne faut pas lui en vouloir de ne pas avoir plus de temps pour jouer avec toi.

Maman était-elle dupe ? Il semblait que oui. On la laisserait dans son illusion.

Car enfin, comment Épicène aurait-elle pu regretter de ne pas passer plus de temps avec cet homme irascible qui n'ouvrait la bouche que pour tenir des propos désagréables ? Elle se rappelait une époque lointaine où la présence de son père provoquait encore en elle une attente : quand il aurait fini ses occupations, il allait la prendre dans ses bras, lui sourire. Et puis un jour, elle avait compris que son espoir n'était pas fondé et elle n'en avait éprouvé aucune peine. Ce personnage ne voulait pas d'elle et elle ne voulait pas de lui non plus.

Cela tombait bien, il n'était jamais là ou si peu. Maman occupait une place colossale, elle était omniprésente, belle et bonne, elle l'aimait. Le monde lui allait.

Un après-midi, alors qu'elles rentraient de l'école ensemble, maman eut un air heureux pour lui annoncer :

— Tu vas être contente, ma chérie. Papa est à la maison !

— Il n'est pas à son travail ? interrogea l'enfant.

— Non, on repeint son bureau, alors il a emporté ses dossiers à l'appartement. Est-ce que ça te fait plaisir ?

— Très.

C'était la première fois qu'un mensonge lui coûtait tant d'efforts. Maman n'y vit que du feu.


Tandis qu'Épicène mangeait son goûter à la cuisine, elle essaya d'ignorer la voix de son père qui parlait au téléphone avec quelqu'un, dans la salle de séjour. Il lui fut hélas impossible de ne pas remarquer qu'il avait abandonné son ton habituel pour s'adresser à l'inconnu : quel charme, quelle chaleur, de fréquents éclats de rire – comme papa aimait ce Gérard !

– J'espère vous revoir bien vite, Gérard. Mes amitiés à Patricia. Au revoir, bonne journée.

Il raccrocha.

– Mon chéri, nous sommes rentrées, dit maman.

Pas de réponse.

Soudain, Épicène vit apparaître son père devant elle. Il la regarda avec tant de contrariété qu'elle eut du mal à ne pas s'étrangler avec sa bouchée de BN. Sentant que sa présence dérangeait, elle fila dans sa chambre dont elle ferma la porte. Elle s'assit sur le lit et dans sa tête, elle entendit la voix intérieure dire :

– Je n'aime pas papa.

Le savoir était une chose, le formuler changeait la donne. Malgré le calme et l'absence d'étonnement, les mots produisaient un effet considérable. La révélation accédait à une réalité supérieure, elle devenait un monument de l'esprit. « Je n'aime pas papa. » Même le son grotesque – papapa – déterminait l'énormité du constat.

Désormais, la vie serait différente. Bien qu'Épicène n'éprouvât aucune honte, elle sut qu'il faudrait garder pour soi ce papapa, comme un dogme que le monde n'était pas prêt à recevoir. Pourquoi avoir des remords de ne pas aimer qui ne l'aimait pas ? La question ne méritait aucun état d'âme.

Bizarrement, maman aimait papa. Elle ne le lui avait pas dit, mais cela se voyait, se sentait, s'entendait. Maman avait pour s'adresser à papa une voix pleine de déférence, des yeux intenses et des gestes choisis. Papa ne remarquait pas ces manières, qui ne partageait pas son trouble. Si Épicène avait dû formuler le sentiment de son père pour sa mère, elle eût dit qu'il la supportait – à condition qu'elle parle peu et qu'elle existe le moins possible.

Et elle, est-ce qu'il la supportait ? Pas sûr. Les rares fois qu'il lui disait quelque chose, c'était : « Tu es insupportable ! »

Épicène était insupportable quand elle jouait au salon, quand elle chantait dans sa chambre, quand elle ne mangeait pas, quand elle mangeait, quand elle manifestait de l'enthousiasme.

Maman n'osait pas prendre la défense de sa

fille. Elle attendait que papa s'en aille et disait :
« Papa est énervé par son travail. »

Ou : « Papa est fatigué. »

L'enfant opinait. Elle aurait voulu répondre à
sa mère que cela n'avait pas d'importance. Pour
ce qu'elle se souciait de ce personnage, il pouvait lui dire n'importe quoi. Si elle ne lui tenait
pas ce langage, c'était parce qu'elle sentait que
maman en aurait été offensée.

Elle se demandait si tous les hommes étaient
semblables à son père. Quand elle entra au CP,
elle eut une amie en la personne de Samia, la
seule de sa classe qui ne poussât pas des cris
d'épouvante hilare à l'annonce de son prénom.
Samia l'invita à dormir à la maison.

Ce fut une expérience stupéfiante. Chez
Samia, rien n'était comme chez elle. Elle avait
des frères et des sœurs innombrables. Dans son
appartement, il y avait tellement de gens qu'elle
mit du temps à identifier ses parents. La mère
de Samia préparait continuellement un délicieux

thé très sucré. Quant au père, il attrapait sa fille dans ses bras et l'embrassait avec des paroles d'affection à n'en plus finir. Ensuite, il disait :

– Toi, tu es Épicène, l'amie de ma fille. Tu es ici chez toi.

Cet homme était aussi chaleureux et aimable que papa était glacial et odieux. D'ailleurs, il y avait chez Samia beaucoup d'autres hommes, tous aussi différents de papa que possible. Épicène avait sa réponse : non, les hommes en général n'avaient rien à voir avec son père.

Pourquoi n'avait-elle pas, à l'exemple de Samia, des frères et des sœurs ? Elle interrogea à ce sujet maman, qui parut affreusement embarrassée et qui dit après une longue réflexion :

– C'est compliqué. Est-ce que tu aurais voulu avoir un frère ou une sœur ?

– Non.

Maman sembla soulagée, ce qui était le but de la petite. Elle avait menti, bien sûr. Quand Samia lui racontait sa fratrie, quand elle la voyait parmi cette tribu d'enfants, elle trouvait cela formidable.

Il devait y avoir du papa derrière ce mystère.

Épicène se révéla une excellente élève. Maman saluait son carnet de notes avec admiration.

– Tu as vu, Claude, les résultats de notre fille ?

Exaspéré, papa apposait sa signature en disant :

– Ça va, c'est pas l'agrégation, non plus.

L'enfant alla regarder dans le dictionnaire à l'entrée « agrégation ».


Parfois, les parents sortaient. Papa chapitrait maman à chaque fois :

– Si on te demande notre adresse, tu dis que nous habitons près de la place des Victoires, n'est-ce pas ?

Épicène réfléchit. Géographiquement, il n'y avait rien de plus vrai. Pourquoi sentait-elle que le propos était désagréable ? Comment questionner sa mère sans la blesser ?

Elle avait huit ans quand elle demanda à

maman pourquoi il fallait mentionner la proximité de la place des Victoires.

– Parce que c'est chic, répondit-elle en souriant avec un peu de gêne.

La petite comprit aussitôt le peu de chic de la rue Étienne-Marcel. La place des Victoires rayonnait d'élégance et de beauté classique, contrairement à leur rue sympathique et commerçante. Donc, papa avait honte de son adresse. Elle le trouva ridicule.

Épicène aimait la rue Étienne-Marcel. C'était là que se situaient l'école, l'appartement, la boulangerie. Sa vie lui allait parfaitement. N'avoir qu'une seule amie était idéal puisqu'il s'agissait de Samia. Maman était merveilleuse, il suffisait d'ignorer papa. L'enfant excellait en cette discipline qui consistait à dire, le matin : « Bonjour Papa » (faire entendre la majuscule), et à adapter la formule en fonction de l'heure où réapparaissait l'indésirable individu, sans mettre dans sa voix l'ombre d'une ironie, et sans avoir l'air de remarquer qu'aucune réponse n'était jamais apportée à cette courtoisie.

Maman semblait s'inquiéter de cette froideur du père à l'égard de sa fille. Épicène aurait voulu la rassurer en lui confiant le fond de sa pensée, à savoir qu'elle se passait très bien de l'attention paternelle, mais elle sentait que sa mère aurait été choquée d'un tel propos.

Tout le monde était d'accord pour affirmer l'importance du père. Samia disait à son amie que son père était le seul homme qu'elle aimait parce qu'il était infiniment supérieur aux autres. Maman évoquait souvent son père avec tristesse, expliquant à sa fille combien elle regrettait qu'elle n'ait pas encore rencontré un homme si prodigieux. Épicène écoutait ces considérations avec perplexité, se gardant de juger, mais constatant que pour sa part, elle n'éprouvait même pas de déception vis-à-vis de son père. « De lui, je n'attends rien », concluait-elle.

Si sa mère ne l'avait pas aimée, elle aurait voulu mourir. Son père ne l'aimait pas ? Elle le lui rendait bien, point final. Son cynisme secret allait plus loin. Elle savait que c'était lui qui pourvoyait à leurs besoins matériels, qui les entretenait ; souvent, quand la présence de son père lui pesait, elle le regardait en pensant : « Donne-nous l'argent et va-t'en ! »

Très vite, les parents cessèrent de convoquer la baby-sitter lorsqu'ils sortaient. « Notre fille est tellement sage qu'elle se garde toute seule », disait maman. « Elle n'a même pas l'imagination de faire une bêtise », commentait papa.

« Tu as raison, papa, je ne fais jamais de bêtises. Je suis trop occupée à me raconter des horreurs sur toi pour ça », songeait Épicène. Elle se couchait tôt pour reprendre intérieurement son récit préféré : celui où son père était renversé par un camion en traversant la rue et où un policier contrit venait annoncer à maman que papa était mort et qu'on avait retrouvé dans sa mallette des liasses de billets de banque qui leur suffiraient pour leur vie entière. Son moment favori de l'histoire était celui où elle embrassait sa mère en pleurs et la consolait en lui disant : « Désormais, maman, c'est moi qui m'occuperai de toi.

Je vais te rendre très heureuse, tu vas voir. » Elle cachait alors dans sa chambre la mallette et en prélevait régulièrement de quoi inviter sa mère au restaurant et lui acheter de belles robes.

Un jour, elle entendit une conversation entre ses parents :

– Il faut que nous déménagions avant son entrée au collège.

– Elle va mal le vivre. Elle adore Samia, elle ne voudra pas partir.

– Ce sont des enfantillages, Dominique. Quand nous habiterons rive gauche, elle aura d'autres fréquentations, elle oubliera Samia.

Son cœur se glaça.


Le lendemain, elle sauta au cou de Samia en arrivant en classe et la serra dans ses bras.

– Je ne t'oublierai jamais, Samia.

– Tu as vu un mauvais film à la télé ou quoi ? Qu'est-ce qui te prend ?

– Je voulais juste te dire que je t'aime pour toujours.

– Moi aussi, Épicène. Arrête de parler comme si tu allais pleurer, c'est ridicule.

La petite fille se rendit compte qu'elle n'avait jamais traversé la Seine. Elle demanda à sa mère pourquoi il allait falloir vivre de l'autre côté. Maman eut le même air gêné que lors de la question sur la place des Victoires pour répondre :

– Parce que c'est chic.

– Pourquoi est-ce que c'est important ?

– Ton père aime ce qui est chic, il veut que nous habitions un endroit chic.

– On pourrait déménager place des Victoires.

– Ce n'est pas suffisant. Rive gauche, tout est chic.

Sa mère n'allait plus la chercher à l'école, estimant qu'elle pouvait rentrer seule maintenant. Épicène marcha jusqu'à la Seine et regarda l'autre rive avec hostilité.

« Pourvu que je n'aie jamais onze ans », pensa-t-elle.

Elle en avait neuf. Le temps de l'enfance obéit

à des lois autres. Sa densité n'a d'égal que son sens du tragique. Au seuil de deux années de bonheur profond, Épicène savait qu'elle en vivrait la moindre heure avec ivresse. Ce qui se passerait ensuite serait aussi inimaginable que la mort.

En 7e, la maîtresse terminait souvent la journée en lisant à haute voix un livre sur la mythologie. Les élèves aimaient bien ces histoires bizarres et volontiers grotesques au sujet des dieux.

Une après-midi, elle lut le chapitre consacré aux Enfers. Pour y aller, il fallait traverser un fleuve terrible et irréversible. De l'autre côté commençait le territoire habité par les défunts. Cette histoire trouva en Épicène un écho.

– Un seul vivant a traversé ce fleuve. Il a obtenu ce droit parce qu'il était poète et parce qu'il était fou d'amour. La divinité lui avait dit qu'il pourrait ramener son amoureuse des Enfers à condition de ne pas se retourner pour la regarder. Mais il ne put s'en empêcher et la mort reprit la bien-aimée pour toujours.

Épicène demanda à Samia si elle avait déjà traversé la Seine.

— Quel rapport avec Orphée et Eurydice ? interrogea la meilleure amie.

— Quand j'aurai onze ans, je déménagerai rive gauche.

Samia hocha la tête, comme si elle comprenait la gravité de la situation. Après l'école, les deux fillettes contournèrent le Louvre pour regarder le fleuve.

— Ça n'a pas l'air si différent de l'autre côté, dit Samia. J'irai te voir. Ça ne changera rien entre nous.

Épicène remarqua cependant que Samia n'avait pas répondu à sa première question. Traverser la Seine demeurait bel et bien une épreuve initiatique.

Elle se renseigna sur Orphée. Poète, à l'époque – laquelle ? c'était difficile à savoir –, cela ne signifiait pas la même chose qu'aujourd'hui. Un poète chantait ses poèmes en jouant de la lyre. Ainsi, il les retenait sans avoir besoin de les écrire. Pour ce motif, les enfants de cette période ne devaient pas apprendre par cœur des poésies et les réciter d'un air godiche devant la classe. Le poète était à la fois le poème, la musique et le texte. Pour passer à la postérité, il devait rencontrer un autre poète et lui transmettre son art par contagion. La poésie à succès relevait de l'épidémie. Le mauvais poète ne créait qu'un virus inoffensif, personne ne l'attrapait.

C'était intéressant, mais comment devenir un Orphée moderne ? Quel équivalent trouverait-elle désormais à une pratique aussi spéciale ?

– Puisque je te dis que c'est moi, Orphée ! lui répéta Samia.

– Tu es nulle en récitation.

– Orphée détesterait les récitations.


En juin, Claude acheta un appartement situé rue de Bourgogne, dans le VIIe arrondissement. Le déménagement aurait lieu l'été. La nouvelle vie commencerait en septembre.

Il se rendit à l'école de la rue Étienne-Marcel pour chercher le dossier scolaire de sa fille. Il passa dans la cour de récréation où les enfants s'adonnaient à leurs jeux. Le hasard voulut qu'il tombât sur Épicène et Samia en train de faire du hula-hoop. Il se figea un instant et adressa à sa fille un regard de haine qui cloua la petite sur place. Puis il poursuivit sa route.

Ces quelques instants n'avaient pas échappé à Samia.

– Qui c'est, ce type ? interrogea-t-elle.

– C'est mon père.

– C'est ton père ?

Épicène vit l'incrédulité et l'indignation dans les yeux de son amie. Elle sut qu'un grand moment était arrivé : il fallait qu'elle parle à Samia, qu'elle lui avoue, qu'elle lui explique. Samia la dévisagea avec insistance. Épicène ouvrit la bouche pour parler et c'est alors que le drame se produisit.

Les mots ne vinrent pas.

La fillette ne les trouva pas.

Par la suite, elle essaya de s'expliquer à elle-même cette défaillance. Ces gloses a posteriori ne résolurent pas le mystère. À dix ans, Épicène ne fut pas capable de dire à sa meilleure amie que son père était un sale type et qu'elle le détestait.

Son silence dura trois minutes, au terme desquelles Samia montra qu'elle n'attendait plus de réponse. Elles recommencèrent à jouer. Leur amitié n'en fut pas altérée, mais quelque chose demeura en suspens.

Épicène détesta la rue de Bourgogne. Elle différait peu de la rue Étienne-Marcel, si ce n'est par une atmosphère de raideur que l'enfant identifia au chic.

Le nouvel appartement n'était ni plus grand ni plus confortable que le précédent. On aurait cherché en vain où résidait son supplément d'élégance. C'était une pure affaire de langage. Au téléphone, Claude ne perdait pas une occasion de dire : « Passez donc rue de Bourgogne. » Ou : « J'ai laissé les documents rue de Bourgogne. »

Du temps de la rive droite, Épicène habitait à

50 mètres de l'école. Son collège se situait à présent dans le V<sup>e</sup> arrondissement : il fallait s'y rendre en métro. C'était le moindre des désagréments de cette existence neuve. Le pire, c'était l'éloignement de Samia.

En rentrant du collège, elle se jetait sur le téléphone pour appeler sa meilleure amie. Elles se parlaient pendant des heures. Plus elles se parlaient, plus elles avaient de choses à se dire. Elles avaient un point commun fondamental : la haine du collège. Chacune prétendait que le sien était encore plus exécrable que celui de l'autre. Cela donnait lieu à des comparaisons interminables, ponctuées de hurlements de dégoût destinés à exprimer leur connivence.

Les professeurs avaient beau être abominables, ils n'étaient rien à côté des élèves. Les fillettes rivalisaient de termes ignominieux pour décrire leurs condisciples respectifs. Épicène l'emportait toujours, qui disposait d'un argument politique : dans sa classe, il n'y avait que des bourgeois. La première fois qu'elle employa ce mot, Samia lui demanda ce que cela signifiait.

Se rendant compte de la difficulté de le définir, Épicène finit par répondre, embarrassée :

– C'est des gens comme mon père.

– Ah oui, dit Samia, semblant mesurer la gravité du problème.

Elle réfléchit et reprit :

– Est-ce que ta mère est une bourgeoise aussi ?

– Non, trancha catégoriquement Épicène.

– Donc, toi, tu es métisse bourgeois-normal ?

– Je ne suis pas une bourgeoise, voyons. Les bourgeoises, tu les reconnais facilement : elles portent un serre-tête, des vêtements moches et chers et elles empêchent leurs voisins de copier sur elles.


Un soir, Claude remarqua que depuis le déménagement, les frais téléphoniques étaient multipliés par vingt.

– C'est ta fille qui passe son temps au téléphone au lieu de travailler.

– Samia lui manque tellement.

– Ne peut-elle pas se faire de nouvelles amies ?

Dominique entendit ce qu'il n'avait pas osé formuler : « de nouvelles amies plus rive gauche ».

Quand Épicène demandait à aller dormir chez Samia, sa mère se montrait dissuasive :

– C'est loin, ma chérie. Tu as le collège demain. Samia ne peut-elle pas plutôt venir dormir ici ?

Là, c'était Épicène qui avait des réticences :

– C'est loin de chez elle et elle a école aussi.

– On dirait que tu ne veux pas me la présenter. J'espère que tu n'as pas honte de moi.

– Mais non, maman.

C'était de son père qu'elle avait honte.

Samia lui donnait souvent rendez-vous dans un café de la rue Tiquetonne, après les cours. Quand elles se retrouvaient, c'étaient des embrassades sans fin, et elles ne se quittaient jamais sans larmes.

– C'est toujours moi qui traverse la Seine

pour toi et jamais l'inverse. Tu vois, Orphée, c'est moi.

– Vas-y, sors ta lyre et chante-moi un poème.

En histoire, Épicène apprit que Berlin avait été coupé en deux en une nuit et que les habitants avaient perdu définitivement la moitié de leurs amis. Elle raconta cela au téléphone à Samia et conclut :

– Si je te perdais, j'en mourrais.

– Comment ça pourrait arriver ?

Elle ne se rendit pas compte que sa question provoquait le destin.


Une après-midi, exceptionnellement, Claude travaillait à la maison quand le téléphone sonna. Épicène eut beau se précipiter, son père décrocha.

– Allô ? Ah oui, tu es Samia, la fille de l'épicier marocain… Comment ça, ton père n'est pas épicier ? Ça existe, des Marocains, en France, qui ne sont pas épiciers ? Attends, ma fille est devant moi, je te la passe.

– Bonjour Samia, dit Épicène.

– Salut, lui répondit une voix glaciale et méconnaissable.

Long silence.

– Tu sais quoi ? Je ne vais plus jamais te parler, reprit Samia. Et peut-être que tu portes pas de serre-tête, mais tu es quand même une bourgeoise.

Elle raccrocha. Épicène connaissait assez Samia pour savoir qu'elle ne reviendrait pas sur ses paroles. Elle regarda le calendrier et pensa : « Le 19 novembre 1985 est le jour de ma mort. J'ai onze ans. »

Si elle avait été une fille ordinaire, elle serait allée hurler sa haine à son père ou demander des comptes à sa mère. Épicène garda ses cris dans son cœur et se coucha sur son lit pour devenir la statue de la vivante qu'elle avait été.

Elle se rappela le jour de juin où Samia avait vu son père et où elle aurait dû lui expliquer qui il était. Les mots qu'elle n'avait pas trouvés alors jaillirent de ses lèvres muettes :

– Mon père est un monstre. Il me hait depuis ma naissance. Il ne me tue pas, parce que c'est interdit par la loi. Il invente d'autres manières de me tuer. Ce qu'il ne sait pas, c'est que je le hais. Je le hais encore plus qu'il me hait. Et un jour, je ne sais pas comment, je le tuerai.

Si elle avait dit cela en juin, Samia aurait compris et elle n'aurait pas perdu son amitié cinq mois plus tard. Épicène découvrit que l'on pouvait mourir pour ne pas avoir prononcé à temps une parole salvatrice.

Dominique, qui avait entendu l'échange téléphonique sans oser intervenir, avait accouru au chevet de sa fille.

– Ton père plaisantait.

– Ah bon. C'était drôle ?

– Il a un humour particulier.

– Samia n'a pas ri. Elle ne veut plus me parler.

– C'est ton amie. Elle comprendra.

– Elle ne comprendra pas. Moi non plus, d'ailleurs.

– Veux-tu que je l'appelle ?

– Samia te raccrochera au nez.

– Non. Veux-tu que j'appelle ton père ?

Épicène regarda Dominique avec consternation. « J'aime ma mère mais elle aime mon père. La vie n'est pas un cadeau », pensa-t-elle.

– Je n'ai rien à lui dire, maman. Je viens de perdre ma meilleure amie et c'est à lui que je le dois.

Quand Dominique eut quitté la pièce, l'enfant se rappela le temps béni où elle estimait qu'un père n'avait aucune importance. Comme elle s'était trompée ! À présent, la vérité lui apparaissait dans toute son horreur. Le père, c'était la porte de l'existence : que l'on veuille entrer ou sortir, il fallait obtenir son blanc-seing. Si le père était pourri, la porte était condamnée.

« J'ai onze ans. Encore sept années à tirer dans cette prison. Comment vais-je tenir ? »

En guise de réponse, un grand froid s'empara d'elle. Il existe un poisson nommé cœlacanthe qui a le pouvoir de s'éteindre pendant des années si son biotope devient trop hostile : il se laisse gagner par la mort en attendant les conditions de sa résurrection. Sans le savoir, Épicène recourut au stratagème du cœlacanthe. Elle commit ce suicide symbolique qui consiste à se mettre entre parenthèses. Ce meurtre invisible est beaucoup plus fréquent qu'on ne le croit. Comme on ne l'identifie pas pour ce qu'il est, on y voit en général un signe avant-coureur de l'adolescence.

Puisque la fille venait de s'enfoncer dans les abysses, la mère redevint le personnage de cette histoire. Elle rejoignit son mari et osa lui parler :

— Épicène a perdu sa meilleure amie par ta faute.

— À cause de ma plaisanterie ?

— Samia l'a très mal prise.

— C'est une idiote.

— Elle a onze ans.

— Si elle laisse tomber notre fille pour ça, c'est qu'elle ne mérite pas d'être son amie.

Dominique se sentit embrouillée. Elle ne savait plus quoi penser et se demanda si son mari n'avait pas raison. Claude flaira l'aubaine d'une reconquête.

– Ma chérie, ces enfantillages ne nous regardent pas. Je t'emmène chez Chanel.

Ma chérie. Chanel. Depuis combien de temps n'avait-elle plus entendu ces mots magiques ? L'enchantement qu'elle avait cru révolu recommençait. Elle décida de s'y livrer sans réfléchir.

Chez Chanel, il choisit le tailleur à la place de sa femme. Les vendeuses lui montraient les modèles en priorité. Chaque fois qu'elle sortait de la cabine d'essayage, elle sentait le regard de son époux qui la scrutait et elle frémissait.

Si elle avait eu la lucidité de sonder les yeux de Claude, elle aurait détecté qu'ils contenaient un fantôme. Mais elle avait tellement soif de l'amour de son mari qu'elle préféra ignorer cette présence.

– Tu as gardé ta ligne de jeune fille, ma chérie, lui dit-il, tout te va.

La brute qui lui avait reproché sa minceur douze années auparavant n'était plus. Dominique avait retrouvé l'homme charmant et séduisant dont elle était tombée amoureuse. Elle ne comprenait rien à ce miracle et riait de joie.

— Tu es si belle que je ne peux pas me contenter d'un seul tailleur. Mesdemoiselles, nous prenons le rouge, le noir et le pied-de-poule.

Comme les vendeuses emballaient les achats, Claude vit son épouse regarder rêveusement les parfums.

— Vous ajouterez un flacon de N° 5, dit-il.

Dominique éclata en sanglots.

— Pardonnez-moi, je suis ridicule, bafouilla-t-elle en souriant à travers ses larmes sans remarquer l'agacement de son mari.


Une nouvelle vie commença. Le couple se mit à sortir presque chaque soir.

— Je veux que Paris connaisse ta beauté, dit Claude.

L'épouse savourait ce qu'elle prenait pour un retour de flamme. Elle n'appréciait guère les dîners en ville ; pourtant, elle éprouvait de la griserie à sentir que son mari avait besoin de la montrer. Elle s'offrait aux regards mondains, expérimentant l'érotisme étrange d'enorgueillir celui qu'elle aimait. Il était loin le temps sordide de la rue Étienne-Marcel où Claude lui interdisait de parler en public. À cette époque, sortir relevait pour elle du devoir et de l'humiliation. Dès qu'elle ouvrait la bouche, son mari la fusillait des yeux. Désormais, il ne perdait pas une occasion de la mettre en valeur.

« Que se passe-t-il ? » s'interrogeait Dominique. Ils avaient quarante ans : ce devait être cela. Auparavant, elle envisageait cet âge avec terreur. Comme elle s'était trompée ! Pour la première fois de sa vie, elle avait l'impression de vivre pleinement. Sa fille sage et autonome ne nécessitait aucun soin. Son époux, libéré de l'angoisse de la réussite, pour ce motif qu'il avait atteint durablement ses objectifs, dégustait enfin son triomphe et y conviait une épouse délivrée de ses peurs.

Longtemps associée au périmètre de sécurité et à la longue attente que devait respecter une personne contagieuse, la quarantaine révélait sa vérité que Dominique trouvait sublime : à quarante ans, on récoltait le fruit de ses efforts. Elle s'observait dans le miroir : aucune ride, la silhouette idéale, pas un cheveu blanc, et surtout, dans les yeux, un éclat neuf, celui de la confiance.

Claude dorénavant l'associait à ses projets et lui demandait de l'aider. Elle exultait. Ainsi, il lui dit qu'il souhaitait entrer en relation avec un certain monsieur Cléry, gros bonnet d'une des plus importantes sociétés d'électronique. Pour des raisons qui lui échappaient, faire affaire avec cet homme important constituerait un aboutissement dans sa carrière.

– Mais il est inapprochable. Je me suis inscrit à son club de sport et je ne l'ai pas même aperçu. Entrer dans son cercle est au-dessus de mes moyens.

– Tu diriges Terrage Paris depuis plus de dix ans. Ne te suffit-il pas de l'appeler et de l'inviter à dîner ?

– Hélas non, ma chérie. La famille Cléry, c'est l'équivalent moderne du salon des Guermantes.

Détail amusant : cet homme a trois filles, dont deux fréquentent le collège de notre Épicène.

— Comment s'appellent-elles ?

Claude ouvrit le *Who's Who*.

— Éléonore, née en 1972, et Caroline, née en 1973.

— Dommage, elles ne sont pas du même âge qu'Épicène.

— Qu'est-ce que cela aurait changé ? Notre fille est si peu liante, dit Claude.

— Ce n'est pas à ça que je pense, déclara Dominique, les yeux brillants, mais aux réunions de parents d'élèves qui permettent de faire connaissance. Tiens, j'y pense, dans quinze jours, il y a une rencontre parents-professeurs pour toutes les classes. La mère des petites y sera forcément. Car il y a une madame Cléry, n'est-ce pas ?

Claude regarda dans le *Who's Who*.

— Oui. Ni morte, ni divorcée.

— Si je deviens l'amie de madame Cléry, c'est bon pour toi, non ?

— C'est excellent ! Est-ce jouable ?

— L'année dernière, je n'ai pas fait très attention, il me semble cependant qu'il y avait un côté très mondain à cette réunion. Les femmes rivalisaient d'élégance, comme pour épater les autres mères d'élèves. Cette fois, je vais m'y mettre aussi.

Le couple éclata de rire.

La mère demanda à sa fille s'il y avait des professeurs communs à la 5$^e$, la 4$^e$ et la 3$^e$.

— Oui, il y en a plusieurs, répondit Épicène. Histoire, mathématiques, latin.

— Sais-tu si Éléonore Cléry, de 3$^e$, et sa sœur Caroline, de 4$^e$, ont choisi d'être en section latin ?

— Maman, je ne connais déjà pas le nom des élèves de ma classe. Comment veux-tu que je sache un truc pareil ?

Dominique soupira. À douze ans, sa fille avait la sociabilité d'un bigorneau. Par ailleurs, ses résultats scolaires ne déclinaient pas. Quand même, la rupture avec Samia datait d'il y a plus d'un an ! Épicène ne pouvait-elle pas passer à autre chose ?

– Il n'y a pas une photo de madame Cléry dans le *Who's Who* ? demanda-t-elle à Claude.

Il n'y en avait pas.

– Pas grave. Je me débrouillerai.

Le jour J, Dominique s'habilla comme pour un dîner en ville et, au comble de l'excitation, se rendit au collège. Des files étaient organisées devant des portes sur lesquelles on avait inscrit le nom, la matière et la classe des divers professeurs. Dans l'alignement des parents qui patientaient pour le professeur d'histoire des 5e, 4e, 3e, elle repéra une femme de son âge, très élégante sans donner l'impression de s'être endimanchée. Elle ne regardait personne, contente de sa solitude. Dominique se rapprocha d'elle au maximum. « Si les Cléry sont les Guermantes d'aujourd'hui, je tiens ma duchesse », pensa-t-elle.

Elle chercha un prétexte pour lui parler et, finalement, elle choisit le plus idiot :

– C'est bien la file pour monsieur Dasson, n'est-ce pas ?

– Oui. Il est d'une lenteur !

La voix de la femme, à la fois posée et désinvolte, la frappa.

– Je suis là pour ma fille qui est en 5ᵉ.

– Et moi pour mes deux filles, l'une en 3ᵉ et l'autre en 4ᵉ. Je vous promets que j'essaierai de faire vite.

– Quel genre d'homme est-il ?

– Un raseur, mais pas méchant. Il a laissé passer mon Éléonore, l'an dernier, malgré des notes, comment dire, déroutantes.

« C'est elle », jubila Dominique.

– Pardonnez-moi, je ne me suis pas présentée, je suis la mère d'Épicène Guillaume.

– Et moi, la mère d'Éléonore et Caroline Cléry. Votre fille s'appelle Épicène ?

– Oui, en hommage à Ben Jonson, un contemporain de Shakespeare.

– C'est extraordinaire.

À cet instant, une dame s'interposa dans la conversation en ignorant ouvertement Dominique :

– Dites-moi, nous avons un énorme problème pour la soirée du 28…

Dominique s'écarta, de peur d'avoir l'air de s'immiscer dans des affaires qui ne la regardaient pas. Elle aurait tué cette femme qui parla à madame Cléry jusqu'au moment où celle-ci entra chez le professeur d'histoire.

« C'est fichu », se dit-elle.

Quand elle-même sortit de son entretien avec l'intarissable monsieur Dasson, elle chercha partout madame Cléry. Trop tard, l'oiseau s'était envolé.

Elle quitta le collège avec un profond sentiment d'échec et retourna rue de Bourgogne.

– Alors ? demanda Claude.

– J'ai une bonne et une mauvaise nouvelle. La bonne, c'est que j'ai réussi d'entrée de jeu à identifier madame Cléry et à lui parler. Tout allait pour le mieux jusqu'à ce qu'une dame vienne la monopoliser. Je n'ai rien pu faire. Et après, elle avait disparu. Mais le peu de temps que nous avons passé ensemble, nous avons sympathisé.

– Comment est-elle ?

– Tu avais raison, c'est la duchesse de Guermantes. Pardon, mon chéri, je suis désolée.

Il la consola tendrement :

– Tu as déjà été formidable, ma chérie, de la reconnaître et de sympathiser.

– Tu te rends compte qu'il va me falloir attendre un an pour que l'occasion se représente ? Il n'y a qu'une rencontre parents-professeurs par an !

– À nos âges, une année est vite passée.

Il disait vrai, l'année scolaire 1986-1987 s'écoula à la rapidité d'une réception mondaine. Pourtant, Dominique ne cessa pas une seconde d'y penser.


Quand arriva enfin la réunion parents-professeurs de l'année scolaire 1987-1988, Dominique était tendue comme s'il y allait de sa vie. Elle repéra aussitôt madame Cléry dans la file de la professeure de latin et dépassa sans vergogne les autres pour la rejoindre.

– Bonjour, madame.

– Bonjour. Oui, vous êtes la mère de – attendez – Ophélie ?

– Non, Épicène.

– Mais oui, Épicène. Comment allez-vous ?

– Je suis préoccupée, dit Dominique, qui n'avait rien laissé au hasard. Épicène me donne du fil à retordre.

– À qui le dites-vous ! Mes filles ont des notes déplorables.

– La mienne est la première de la classe. C'est sa personnalité qui m'inquiète.

– Elle a treize ans, n'est-ce pas ? Ne vous étonnez de rien.

– Je vous assure, ce n'est pas une puberté ordinaire. C'est comme si Épicène était à peine vivante.

– Anorexie ?

– Non, ce n'est pas cela. Elle n'a pas d'ami, aucune vitalité. J'appréhende ce que me dira madame Caracala.

– Votre fille est mauvaise en latin ?

– Non, elle y excelle. Mais madame Caracala m'a déjà téléphoné pour me dire son inquiétude.

– De quoi elle se mêle, celle-là ?

– Hélas, je crois qu'elle a raison, dit Dominique, si empressée de convaincre son interlocutrice qu'elle en eut les larmes aux yeux.

Madame Cléry sembla émue de cette fragilité :

– Voulez-vous que je vous attende ?

– Oh, ce serait tellement gentil à vous, dit celle qui n'eut alors aucun effort à faire pour paraître bouleversée.

Quand vint son tour, elle entra dans la classe qui servait ce jour-là de confessionnal à madame Caracala.

– Bonjour, madame. Je suis la mère d'Épicène Guillaume.

– Je l'aurais parié, dit l'imposante Caracala d'une voix comminatoire.

– Me ressemble-t-elle tant que cela ?

– Non, elle ne vous ressemble pas du tout. Mais il suffit d'un regard pour savoir que vous consacrez beaucoup plus de temps à votre garde-robe qu'à votre fille.

Interdite, Dominique découvrit qu'un mensonge ingénu a toujours valeur de prophétie.

– Pardon ?

– Épicène est une adolescente extrêmement brillante, l'une des meilleures élèves que j'aie eues. Et vous la laissez dans une situation de détresse psychologique profonde.

– Qu'est-ce qui ne va pas ?

– Votre fille est totalement repliée sur elle-même, elle n'adresse la parole à personne et ne semble s'intéresser à rien. Durant les cours, elle n'intervient que si on la sollicite, et on constate alors qu'elle est d'une intelligence stupéfiante.

– Oui, elle est timide.

– Non, elle n'est pas timide. Cela ne s'appelle pas de la timidité, cela, madame. Cela s'appelle de la souffrance. Et vous, pendant ce temps, vous courez les boutiques de mode.

Dominique éclata en sanglots.

– Il est bien temps de pleurer, fit l'énorme Caracala avec écœurement. Au revoir, madame, je n'ai plus rien à vous dire.

La malheureuse sortit de la salle en dissimulant ses larmes comme elle le pouvait. Madame Cléry, qui l'attendait, la prit aussitôt par le bras pour la soustraire aux regards des curieux. Dominique lui raconta l'accueil affreux que lui avait réservé la professeure de latin.

– Quel monstre, cette femme ! s'écria madame Cléry. Évidemment, elle, on ne risque pas de la croiser dans les boutiques de mode, où il n'existe pas de vêtements à sa taille.

Dominique sourit en pleurant.

– Elle n'a aucun droit de vous parler sur ce ton.

– Malheureusement, elle a raison. Elle n'a dit que des choses exactes. Je suis une mauvaise mère.

– Mais non, ma chère. C'est si difficile d'être la mère d'une adolescente. J'en ai trois, je sais de quoi je parle.

– Ma fille est réellement en souffrance. Je ne sais pas quoi faire et je ne fais rien.

– Mais que faire face à des gamines dont on ne comprend pas les problèmes ?

Dominique redoubla de sanglots : elle se sentait punie d'avoir commencé par jouer la comédie pour attirer l'attention de cette femme.

— Je ne peux pas vous laisser dans cet état. Êtes-vous en voiture ?

— Non.

— Prenons un taxi. Je vous raccompagne chez vous.

Pendant le trajet, la mère éplorée se confia beaucoup. Elle raconta la rupture avec Samia, deux ans plus tôt.

— C'est à ce moment-là qu'Épicène s'est refermée. Je n'ai pas pris cette affaire assez au sérieux.

— Oui. À cet âge, les grandes amitiés sont aussi importantes que des mariages.

— Donc, vous trouvez que je suis une mauvaise mère ?

— Pas du tout. Vous faites de votre mieux, c'est évident. Pouvez-vous me donner votre numéro de téléphone ? Chez moi, j'ai les coordonnées d'un bon psy pour adolescents.

Dominique s'exécuta. C'était inespéré. Avant de quitter le taxi, elle remercia sa nouvelle amie et la pria de l'appeler par son prénom. Madame Cléry sourit et répondit :

— Entendu, Dominique. Moi, c'est Reine.

Arrivée devant chez elle, Dominique se recomposa un visage. Elle entra dans la chambre d'Épicène et lui raconta les propos de madame Caracala.

– Quelle grosse idiote ! explosa la gamine, qui détestait qu'on s'inquiète à son sujet.

– Est-il vrai que tu n'adresses la parole à personne, ma chérie ?

– Quand personne ne m'intéresse, je ne parle à personne. Le jour où quelqu'un m'intéressera, je lui parlerai. Tout va bien, maman, je t'assure.

Un peu rassérénée, elle attendit le retour de son mari. De même qu'elle n'avait pas mentionné à sa nouvelle amie les circonstances de la rupture entre Épicène et Samia, elle cacha à Claude la ruse à laquelle elle avait recouru. Mais elle lui dit qu'elle l'avait raccompagnée en taxi rue de Bourgogne.

– Sais-tu que c'est une très belle femme ? Distinguée, beaucoup d'allure. Et elle porte un prénom qui lui va à merveille : elle s'appelle Reine.

– Ah oui, commenta-t-il d'un air absent, avant d'ajouter en la prenant dans ses bras : Dire que tu es une parfaite intrigante, et que je ne le savais pas.

– Je vois bien que cela t'intéresse peu. Que veux-tu, pour rencontrer le mari, il faut commencer par l'épouse. Je te jure que nous finirons par être invités chez eux, déclara-t-elle d'un ton héroïque.

– Je n'en doute pas, ma Dominique, répondit-il.

Le lendemain, elle s'assit sur le canapé à côté du téléphone et ne bougea qu'au déclenchement de la sonnerie.

– Dominique, c'est Reine. Comment allez-vous ?

– J'ai à peine dormi.

– Pauvre chérie, oubliez cette horrible Caracala. C'est un dragon. À moi, elle a dit que mes filles pouvaient espérer devenir caissières de Prisunic, vu la nature de leurs préoccupations.

– C'est terrible, répondit Dominique, dont la mère avait été caissière au Prisunic avant d'épouser son père.

– J'ai retrouvé les coordonnées du psychologue pour adolescents dont je vous parlais hier.

Elle prit note et, de peur que Reine mette un terme à cet échange, elle lui confia sa conversation de la veille avec sa fille.

– C'est plutôt rassurant, non ?

– Je ne sais pas. Elle est tellement secrète.

– Ne pensez-vous pas que les résultats scolaires sont les meilleurs indices ?

– C'était mon avis jusqu'aux accusations de madame Caracala. À présent, j'ai honte. Ce matin, je n'ai pas osé m'habiller. Je suis encore en peignoir.

– Pourquoi ?

– Chaque fois que j'envisage une tenue, j'entends madame Caracala me reprocher le luxe de ma garde-robe.

Reine éclata de rire.

– Voulez-vous que je vienne vous aider à vous habiller ?

– Vous feriez cela ?

Une heure plus tard, Reine débarquait rue de Bourgogne.

– Je me sens tellement ridicule.

– Arrêtez, c'est drôle. Montrez-moi votre dressing.

Dominique ouvrit sa penderie.

– Il n'y a pas de quoi avoir honte, dit Reine. J'ai quinze fois plus de vêtements que vous. Oh, c'est beau, cette jupe. Un peu soir, peut-être. Tenez, ce pantalon, c'est ce qu'il vous faut. Un petit haut noir tout simple, vous avez ça ?

Reine ne se satisfit pas de ce qu'elle vit.

– Je vous emmène chez moi. J'ai un haut qui conviendra parfaitement.


Un taxi les conduisit sur la montagne Sainte-Geneviève. L'appartement des Cléry donnait sur le Panthéon. Dominique eut l'impression d'entrer dans le *sanctus sanctorum*.

Le dressing de Reine était une pièce à part entière. Il y régnait le désordre inimitable du chic. Avec autorité, la maîtresse des lieux tendit à son invitée un corsage en lin.

— J'avais raison, il vous va parfaitement. Gardez-le.

— Il va vous manquer, protesta Dominique.

— Bien sûr. Vous ne voudriez pas que je vous offre un vêtement auquel je ne tiendrais pas, quand même.

Elles prirent un café dans la salle de séjour. Dominique était hypnotisée par la vue sur le Panthéon.

— J'habite ici depuis vingt ans et comme vous, je suis fascinée par le panorama. Mes deux aînées vont au lycée Henri-IV, à côté d'ici. Jean-Louis et moi avons recouru à cet argument de proximité, car ni l'une ni l'autre n'avaient le niveau.

— Mon mari est obsédé par l'idée que notre fille aille à Henri-IV.

— Elle y entrera sans aucun problème, vu ses notes. Ah, si nos filles pouvaient devenir amies et échanger une part de leurs qualités respectives, nous serions heureuses. Les miennes n'ont aucun problème de sociabilité. Mais les études ne les intéressent pas.

— Nos filles ne deviendront jamais amies.

— Pourquoi dites-vous cela ?

— Parce que nous sommes en train de devenir amies. Pour cette raison, si elles se rencontraient, nos filles se détesteraient.

— Théorie intéressante. Vérifions-la.

Le lendemain, Dominique emmena sa fille prendre le goûter chez sa nouvelle amie. Celle-ci sursauta en découvrant l'adolescente.

— Comme elle vous ressemble ! dit-elle à sa mère, qui avait remarqué ce choc. Bonjour, Épicène.

— Il paraît qu'elle ressemble au moins autant à son père.

Tandis que l'on servait le thé, la gamine regardait autour d'elle avec une vraie curiosité. L'hôtesse la fascinait particulièrement : elle la mangeait des yeux sans s'en cacher. Mais dès qu'arrivèrent les trois jeunes filles de la maison, Épicène rentra dans sa coquille.

Dominique s'extasia :

– Trois copies conformes de leur mère !

Florence, seize ans, Éléonore, quinze ans, et Caroline, quatorze ans, rivalisaient de splendeur et d'éclat. Elles tentèrent de convaincre Épicène de les accompagner dans leurs appartements et se heurtèrent au plus renfrogné des refus. Les adolescentes n'insistèrent pas et disparurent en un tourbillon.

– Votre théorie se vérifie, déclara Reine.


Commença l'année la plus formidable de la vie de Dominique. Son amitié neuve ne cessait de s'intensifier. Et plus Reine lui manifestait son affection, plus Claude rivalisait en compliments à son égard.

Elle passait presque toutes ses journées avec Reine et presque toutes ses soirées à raconter à son mari ce qu'elles avaient fait ensemble.

« Comme il est gentil de m'écouter avec tant

d'intérêt ! Je ne vois pas comment nos histoires peuvent l'intéresser », pensait-elle. Et en même temps, elle ne lui disait pas ce qui lui importait le plus. Il lui arrivait ce qui peut se produire de plus grisant dans une existence : elle était séduite. Claude aussi l'avait séduite et elle avait adoré cela, qui avait duré quelques jours. Avec Reine, la séduction n'en finissait pas.

La nouvelle amie avait un art infini pour distiller son charme. À l'évidence, il ne s'agissait pas d'une technique. Reine procédait par la plus naturelle des magies. Quand, au terme d'une expédition en ville, les deux femmes regagnaient l'appartement de la montagne Sainte-Geneviève, la maîtresse des lieux débouchait une bouteille de champagne en disant que le Deutz était son thé préféré. Les bulles achevaient de leur délivrer le cœur et Dominique voyait littéralement les étincelles crépiter dans la conversation de son amie. Elle s'en laissait imprégner, savourant deux ivresses dorées à la fois.

Comment aurait-elle pu raconter cela à Claude ? Elle manquait de mots pour exprimer cette grâce. De plus, il aurait pu mal saisir et voir quelque chose de coupable là où, elle en était sûre, ne régnait que le délice d'une connivence profonde.

Il n'en restait pas moins qu'elle se réveillait chaque matin en éprouvant la joie impatiente de retrouver Reine, et qu'elle rentrait chez elle chaque soir avec l'empressement de se jeter dans les bras de son mari pour partager son bonheur.

L'unique ombre au tableau était l'éternelle atonie de sa fille.

– Ne vous inquiétez pas, c'est de son âge, dit Reine.

– Ni vous ni moi n'étions ainsi à quatorze ans.

– Ni vous ni moi n'avions 19/20 en latin, 18/20 en mathématiques et une moyenne de 17/20 dans les autres disciplines.


Dominique ne demandait qu'à se laisser rassurer. Elle voulait savourer pleinement ce que chaque élément de cette existence lui apportait. Comme elle aimait les confidences de Reine !

Celle-ci lui racontait combien il lui pesait de devoir tant recevoir.

— Jean-Louis affirme qu'il est beaucoup plus chic d'inviter chez soi qu'au restaurant. Il a raison, mais quelle plaie ! J'ai beau me faire aider, j'ai toujours beaucoup de mal. Alimenter les conversations, avoir l'air ravi de revoir des gens ennuyeux à périr, ne pas les jeter dehors alors qu'on rêve d'aller se coucher, et savoir qu'en guise de remerciements on sera convié chez eux à des soirées comparables, c'est le prix à payer pour ma belle vie.

— Il paraît que vous y excellez.

— Qu'est-ce que cela change ? On peut détester ce en quoi on excelle.

Il advint que Claude manifesta de la mauvaise humeur au récit de sa femme :

— Elle est gonflée de tant te parler de réceptions auxquelles elle ne t'invite pas ! Je te rappelle que quand je t'ai parlé des Cléry, il y a plus de deux ans déjà, c'était dans l'espoir de fréquenter leur monde.

– C'est ce que je fais.

– Et moi, on m'invite quand ? Cela devient grossier.

Dominique blêmit : il disait vrai. Que Reine pût être prise en faute l'indisposa. Surtout, elle l'était aussi. Depuis combien de temps avait-elle oublié qu'elle cultivait cette amitié pour aider son époux ?

Le lendemain, elle voulut aborder directement cette question avec son amie, mais cela s'avéra impossible : Reine l'accueillit sans dissimuler une joie exceptionnelle.

– Vous avez le permis de conduire ? lui demanda-t-elle de but en blanc.

– Oui. Enfin, je n'ai plus conduit depuis des années.

– Il paraît que cela ne s'oublie pas. Moi, je ne sais pas, j'ai eu mon permis dans une pochette-surprise. Venez.

Elle l'entraîna au sous-sol de l'immeuble qui

servait de garage et lui présenta une Mini Cooper rouge.

— Comme elle est mignonne !

— N'est-ce pas ? Elle est à vous.

— Vous plaisantez ?

— Non. Mon mari me l'a offerte pour notre premier anniversaire de mariage. Je ne m'en suis jamais servie. J'ai mis la carte grise à votre nom : elle vous appartient.

— Votre mari sera fâché.

— Il ne se rappelle même pas me l'avoir donnée. On l'essaye tout de suite ?

Impossible de refuser. Au comble de l'excitation, Dominique s'assit au volant. Reine, à la place du mort, lui tendit les clefs. Dominique démarra et tout lui revint. Elle se souvint combien elle aimait conduire. Elle quitta le garage et dévala la montagne Sainte-Geneviève tandis que son amie manifestait sa joie.

— Vous conduisez très bien !

— Je n'en reviens pas. On m'a toujours dit que rouler dans Paris était une folie.

— C'en est une. J'adore !

– Où voulez-vous aller ?

– N'importe où. Du moment qu'on peut rouler vite !

Dominique éclata de rire. Elle gagna les quais de la Seine et fit des pointes de vitesse qui l'étourdirent autant que son amie. Comme elle se sentait jeune ! Même à dix-huit ans, elle n'avait pas éprouvé cette fureur.

Quand elles réintégrèrent le sous-sol de l'immeuble, elles se regardèrent avec exaltation.

– Merci, Reine ! s'écria Dominique en la serrant dans ses bras.

– C'est moi qui vous remercie. Je ne m'étais plus amusée à ce point depuis le lycée.

Ce mot de lycée rappela à Dominique ses devoirs :

– Je suis d'autant plus gênée de votre cadeau que j'ai un service à vous demander.

– Je vous écoute.

– Voilà. Vous allez vous moquer de moi : j'aimerais tellement que vous m'invitiez à l'une de vos réceptions.

Reine ouvrit des yeux ronds.

– Cela fait des mois que je vous raconte à quel point c'est ennuyeux.

– Je rêve de vivre cet ennui avec vous.

– Vous êtes la personne la plus bizarre que je connaisse. Et puis, je ne peux pas vous inviter sans votre mari.

– C'est un problème pour vous ?

– Non.

L'espace d'une fraction de seconde, Dominique vit passer un malaise dans les yeux de son amie. « C'est parce que je l'ai prise en faute », pensa-t-elle.

– Vous avez les clefs de la voiture. Et voici celle du garage. Vous pouvez prendre la Mini quand vous voulez.

– Merci, merci, répéta Dominique, qui n'en revenait toujours pas. Mais ce qui me plaît, c'est de conduire avec vous. Nous irons encore rouler ensemble, n'est-ce pas ?

Reine acquiesça. Mais sa joie s'était tarie d'un coup. Elle consulta son agenda.

– Le 26 janvier, vous êtes libre ?

– Oui !

– Vous me confirmerez si votre mari est disponible lui aussi ?

– C'est inutile, croyez-moi.

Cette réponse sembla déplaire à Reine.

– Pardonnez-moi. Mon caprice a l'air de vous irriter, dit Dominique.

– Pas du tout. Ce sera amusant de nous retrouver en épouses bien dressées dans l'art des réceptions guindées.

On était le 16 décembre. Bientôt, ce serait Noël. L'idée de ne pas voir son amie pendant les fêtes attrista Dominique, qui ne remarqua pas le ton désenchanté et ironique de sa dernière réplique.

Quand elle annonça la nouvelle à Claude, son visage s'illumina d'un triomphe démesuré. Elle mit cela sur le compte du complexe social qu'elle avait toujours senti chez lui. Pourquoi trouvait-elle touchante une chose aussi bête ?

– Bravo, ma chérie ! On forme une sacrée équipe, toi et moi.

Cette appréciation la bouleversa.

Tout début janvier, Dominique retrouva son amie. Celle-ci lui parut moins légère qu'avant. La soirée du 26 semblait la préoccuper :

— Nous serons trop nombreux pour un dîner classique. J'organiserai un cocktail dînatoire.

— Excellente idée.

Pourquoi avait-elle l'impression que Reine la regardait comme si elle était stupide ? Elle n'osait pas lui dire qu'elle se réjouissait de présenter son mari à ce beau monde. Ce serait sa victoire.

— Que puis-je vous apporter ce soir-là ?

— Rien.

— Voyons, je ne peux pas arriver les mains vides.

— Des fleurs, répondit Reine en haussant les épaules.

Son mari, à qui elle rapportait dorénavant tout élément concernant la soirée, dit qu'il se chargerait de choisir les fleurs.


Le soir venu, Dominique enfila la jupe que son amie avait particulièrement admirée dans sa penderie. Elle allait parfaitement avec le corsage de lin noir qu'elle lui avait offert.

– Tu es splendide, ma chérie, dit son époux.

Elle pensa que son heure de gloire était venue et resplendit.

Un taxi les conduisit place du Panthéon. Claude paraissait très ému. Elle le félicita pour le magnifique bouquet de camélias rouges qu'il avait acheté.

Un majordome les débarrassa de leurs manteaux et les introduisit au salon. Reine se leva pour les accueillir.

– Bonsoir, Dominique. Oh, les superbes camélias ! Merci !

– Bonsoir, Reine. Permettez-moi de vous présenter Claude, mon mari.

Ils se saluèrent avec une politesse marquée, tandis que Jean-Louis vint lui serrer la main. C'était la première fois que Dominique le voyait, elle le trouva impressionnant. Ensuite, il salua son mari, d'une manière si neutre que cela frôlait la froideur.

On leur servit une flûte de Deutz cuvée Amour.

– C'est le meilleur champagne du monde ! s'écria Dominique.

Jean-Louis lui sourit comme à une enfant. Elle se demanda si elle avait dit une sottise.

Reine la présenta à d'autres invités et elle se mit à converser. Ces gens lui paraissaient charmants, elle était très fière de les rencontrer. Tout en parlant, elle regardait son amie. Comme elle était belle ! Elle portait une robe de velours cramoisi qui soulignait sa silhouette idéale, elle avait lâché sa somptueuse chevelure qui lui roulait jusqu'au creux des reins. Et quelle aisance elle avait pour parler à chacun comme si c'était le but de sa vie ! À la fois délicieuse et désinvolte mais toujours pleine d'attentions, elle alternait la gravité avec l'enjouement en fonction de la nature des confidences.

« Bravo, Reine ! Votre soirée est une réussite », se disait Dominique. Ensuite, elle regarda son mari et elle fondit. Comme il avait l'air emprunté ! Cela se sentait qu'il n'avait pas l'habitude. Elle voulut voler à son secours et puis elle se ravisa. Après tout, elle s'était débrouillée seule pour que s'accomplisse la soirée de ses rêves, qu'il y mette du sien pour la métamorphoser.

On servit le buffet dînatoire. Au lieu de mets tape-à-l'œil, caviar ou foie gras, les Cléry proposaient des classiques d'une simplicité déconcertante : un jambon de Parme tranché à la demande, une immense mozzarella dont on pouvait prélever une part que l'on arrosait soi-même d'huile d'olive, des artichauts à la romaine. Dominique admira cet art exemplaire du naturel et du chic.

Tandis qu'elle dînait en discutant avec une amusante vieille dame, elle se rendit compte qu'elle ne voyait plus son amie. Elle ne s'en inquiéta pas. Mais au moment d'aller se resservir, elle remarqua que Reine n'avait pas réapparu.

« Aurait-elle eu un malaise ? Peut-être s'est-elle retirée dans sa chambre », pensa-t-elle, inquiète.

Elle quitta subrepticement la salle de séjour et passa par le dressing qui communiquait avec la chambre. Ce fut là qu'elle entendit la voix de Claude et qu'elle resta figée à écouter :

— Sais-tu ce que signifie le camélia rouge en langage des fleurs ? «Vous êtes la plus belle.» Oui, tu es la plus belle.

— Tu es gentil. Si nous retournions nous sustenter ? As-tu assez dîné ?

Dominique n'en revint pas de ce tutoiement. Reine ne tutoyait que son mari et ses enfants.

— Je n'ai pas faim et tu le sais.

— J'ai mis du temps à comprendre que c'était toi. Des Claude Guillaume, il y en a quelques-uns. Quand j'ai rencontré ta femme, je me suis arrangée pour voir ton appartement mais tu n'y as laissé aucune trace de toi. Et puis j'ai rencontré ta fille. Là, je n'ai plus douté. Elle te ressemble tellement.

— C'est vrai.

— Ta réussite m'impressionne. Bravo ! Je suis fière de toi.

— Tu n'aurais pas cru ça, il y a vingt ans, n'est-ce pas ?

— Tu étais un point d'interrogation.

— Auquel tu avais répondu par la négative.

— Qu'importe ? Tu as fait ta vie et elle est magnifique.

— Ce n'est pas ma vie. Ce n'est pas moi.

— Qu'est-ce que tu racontes ?

— Quand tu m'as quitté, il y a vingt ans, j'ai décidé de te montrer à quel point tu t'étais trompée. Alors j'ai créé mon succès de toutes pièces.

— Une revanche, en somme.

— Non. Une vengeance.

— Je ne comprends pas.

— Pour suivre ta trace, je suis devenu un homme riche et puissant. Tu t'es mariée, je me suis marié. Tu as eu un enfant, j'ai eu un enfant. J'aurais voulu en avoir trois comme toi, mais cela n'a pas été possible.

— En effet, il faut être deux pour ce genre de décision.

— Non. J'ai choisi ma femme parce qu'elle n'existe pas.

– Dominique n'existe pas ?

– Cette femme n'est rien. Elle n'est qu'un pion dans mon jeu. Je l'ai choisie parce qu'elle était assez belle pour jouer les femmes du monde et assez complexée pour que j'en fasse ce que je voulais.

– Comment peux-tu te tromper à ce point sur elle ?

– Quand je me tromperais, cela n'aurait aucune importance. D'elle, je peux dire ce que je peux dire de toute ma vie depuis vingt ans. Ce n'est pas moi. Mon travail, ce n'est pas moi. Mon mariage, ce n'est pas moi. Je ne suis pas ce que je suis.

– Ta fille, ce n'est pas toi ?

– Tu as raison, c'est là où le bât blesse. J'ai réussi à tout faire sans rien éprouver parce que ce n'était pas moi. Les moindres de mes actions étaient des messages que je t'adressais. Et puis ma fille est née et j'ai eu un choc affreux en la voyant. Sans m'en rendre compte, je m'étais toujours attendu à avoir un enfant qui te ressemblerait. Et non seulement elle ne te ressemblait pas, mais elle me ressemblait tellement.

– Elle ressemble à sa mère aussi.

– Comme sa mère n'existe pas, cela ne me dérange pas. En revanche, sa ressemblance avec moi m'a toujours profondément gêné. Ma fille est mon échec : je ne réussis pas à ne rien ressentir à son égard.

– Oui. Tu l'aimes.

– Je la hais. Je ne peux pas te dire à quel point.

Il y eut un silence.

– Tu es un monstre, Claude. Tu étais un gentil garçon, il y a vingt ans. Je ne comprends pas.

– Tu m'as quitté.

– Quel rapport avec les horreurs que tu viens de me raconter ?

– C'est ma vengeance.

– En quoi est-ce une vengeance ?

– Tu es partie parce que Jean-Louis t'offrait la grande vie à Paris. Je voulais te montrer que tu aurais pu l'avoir avec moi aussi. Et avec moi, en plus, tu aurais eu l'amour.

Reine éclata de rire.

– L'amour ? Avec toi ? Avec le monstre qui vient de me raconter des horreurs ?

– Tu as quitté un homme que tu aimais pour un homme que tu n'aimais pas.

– Qui te dit que je n'aimais pas Jean-Louis ?

– Tu ne me l'avais pas dit.

– Je n'étais pas obligée de te le dire.

– Tu m'as dit que tu l'épousais pour sa belle situation.

– C'était gentil de ma part de te dire ça. Comme ça, tu pouvais me détester et puis m'oublier.

– Ce n'est pas ce qui s'est produit.

– Pouvais-je savoir que tu étais à ce point tordu ? Je sentais que quelque chose clochait en toi, mais je ne me doutais pas que c'était si grave. Comme j'ai eu raison de te quitter !

– Il y a vingt ans, tu m'aimais. Ne dis pas le contraire.

– Je t'aimais. Et pourtant, je n'ai jamais voulu faire ma vie avec toi. Je ne te sentais pas.

– Bientôt, tu vas me dire que tu m'as quitté parce que tu anticipais ce que je deviendrais.

111

– Je n'ai pas à me justifier. Je n'étais pas obligée de rester avec toi.

– Tu as détruit ma vie.

– Devais-je me sacrifier pour toi ?

– Regarde ce que je suis devenu.

– Quand j'ai appris ton parcours, je l'ai trouvé admirable. Désormais, je le trouve sordide.

– C'est ton œuvre.

– N'importe quoi.

– Ce que j'ai fait, c'était pour toi.

– C'était contre moi.

– C'est vrai.

– Et ta femme, elle est au courant ?

– Non, bien sûr. Là encore, ne joue pas l'innocente. Toi non plus, tu ne lui as rien dit.

– En effet, j'ai mis du temps à comprendre qui elle avait épousé. Et quand j'ai compris, cela m'a paru trop tard.

– C'est parce que toi aussi tu voulais me retrouver.

– Si j'avais voulu te retrouver, je t'aurais appelé depuis longtemps. Non, si je me suis tue, c'est parce que j'avais peur de perdre l'amitié de Dominique. Je tiens à elle.

— Quitte ton mari. Pars avec moi.

— As-tu l'impression que j'en ai le désir ?

— Je te connais. Tu es comme moi. Tu as de belles manières, tu es devenue une femme du monde, mais dans le fond, tu me ressembles. Tu es sans foi ni loi. Rappelle-toi comment tu t'es débarrassée de moi, il y a vingt ans. Ça, c'est toi. Une femme qui a été capable d'un tel cynisme est capable de tout. Fais à Jean-Louis ce que tu m'as fait.

— Pourquoi ? Pour le plaisir de vivre avec un cinglé de ton espèce ?

— Ça m'est égal que tu me voies comme ça. Il n'y a pas de plus incroyable preuve d'amour que ce que j'ai accompli pour toi.

— Tu appelles cela de l'amour, vouloir se venger de qui on a aimé ? Surtout quand on découvre la nature de ta vengeance. Les Anciens sacrifiaient des enfants aux dieux pour calmer leur courroux. Toi, tu as sacrifié deux personnes, dont ton enfant, pour ne même pas réussir à calmer ta colère. Et tu oses dire qu'un tel crime exprime ton amour pour moi ? Tes actes ne disent qu'une seule chose : qui tu es ! Ce n'est pas moi, disais-tu. Quelle erreur ! C'est toi et ce n'est que toi.

— Tu es de mon espèce.

— En aucun cas. La preuve, c'est que j'aime mes filles et que j'aime la tienne. Comment peux-tu ne pas aimer une adolescente à ce point exceptionnelle ?

— Arrête avec ça. Ma fille a été le premier signe de mon erreur. Ta réaction est la deuxième.

— Tu n'imagines pas un instant que ton enfant a une vie en dehors de toi ? Tu ne la vois que par rapport à toi ? Tu es un psychopathe profond !

— Que veux-tu, je ne suis pas un hypocrite. Oui, je déteste ma fille.

— On jurerait que tu es fier de toi quand tu dis cela.

— Je suis fier de ne rien cacher à la femme que j'aime. J'ai compris que j'avais perdu la partie. C'est égal, je la jouerai jusqu'au bout. S'il faut que j'aille tuer ma fille de mes propres mains pour te dire de quoi je suis capable pour toi, je le ferai.

Cette phrase agit comme un électrochoc sur Dominique. Jusqu'alors, elle avait écouté cette conversation dans l'épouvante. « Si j'avais une arme, j'irais les tuer tous les deux et puis je me tuerais », avait-elle pensé. Soudain, son unique préoccupation fut de sauver Épicène.

Elle quitta le dressing, rejoignit le vestiaire et prit son manteau.

– Vous m'excuserez auprès de madame Cléry, j'ai un malaise, dit-elle au majordome.

Elle descendit au sous-sol, s'installa au volant de la Mini et roula jusqu'à la rue de Bourgogne en quatrième vitesse. Épicène était en train de lire l'*Iliade* en version bilingue.

– Ma chérie, nous partons pour toujours. Emporte l'essentiel.

L'adolescente réagit comme si elle attendait cette injonction depuis des années. Elle jeta dans un sac à dos les rares souvenirs de son amitié avec Samia, l'édition bilingue de l'*Iliade* et déclara qu'elle était prête.

Dominique s'était entre-temps changée.

– Filons, je me suis garée en double file.

– Tu as une voiture ?

– Je t'expliquerai.

Dès qu'elles furent sur l'autoroute, la mère dit à sa fille qu'elles allaient vivre à Brest.

– Papa ? demanda simplement Épicène.

– C'est fini. Il y a une autre femme.

À l'expression d'extrême souffrance de sa mère, la fille comprit qu'il ne fallait pas s'étendre sur le sujet.

– Nous allons chez mes parents. Tu vas enfin rencontrer ton grand-père et ta grand-mère, dit Dominique.

– C'était mon rêve ! s'écria l'adolescente.

Dominique pensa au nombre de fois où elle avait refusé l'invitation de ses parents, parce que Claude lui avait signifié son complexe social et la nécessité de cacher de telles origines. « Comment ai-je pu lui obéir ? »

Elle dut s'arrêter en route pour regonfler les

pneus. Ni la mère ni la fille ne ressentaient de fatigue. Épicène avait même l'impression de se réveiller d'un sommeil mortifère de plusieurs siècles. Sans le chagrin de sa mère, elle aurait éprouvé une joie parfaite : quitter son père, quelle ivresse ! La conscience de se diriger vers la fin de la terre portait son bonheur à son comble.

– Tu conduis bien, maman. Je ne savais pas que tu avais le permis.

– Je l'avais oublié.

Vers 6 heures du matin, elles arrivèrent à Brest. Dominique gara la voiture devant la maison de ses parents. Il y avait de la lumière. Épicène se jeta dans les bras de ses grands-parents incrédules de surprise.

– Que tu es jolie, ma petite-fille !

Dominique embrassa ses parents puis éclata en sanglots. Un silence eut valeur d'explication.

– Vous habiterez ici toutes les deux, dit le père.

Le 27 janvier 1989 était un vendredi.

— Je vais chercher un emploi, dit Dominique.

— Tu ne voudrais pas plutôt te coucher ? demanda sa mère.

— Je serais incapable de dormir.

Quand elle fut partie au volant de la voiture, Épicène demanda quel collège sa mère avait fréquenté.

— Le collège Carnot, à 200 mètres d'ici.

— Je vais m'inscrire, dit-elle.

— Je ne pense pas que ce soit possible, répondit le grand-père.

— Je ne risque qu'un refus.

La fillette entra dans le collège Carnot et déclara qu'elle voulait s'inscrire. Les autorités n'avaient jamais eu affaire à un cas pareil et appelèrent le principal.

— Je suis la fille de Dominique Rosec qui a fréquenté votre établissement. Je souhaiterais m'inscrire en classe de 3ᵉ.

— Au milieu de l'année scolaire ?

— Ma mère a quitté mon père hier suite à une

tragédie familiale. Nous avons dû nous enfuir, je n'ai pas mon dossier.

– Pourquoi votre mère n'est-elle pas venue vous inscrire ?

– Ma mère est à la recherche d'un emploi pour subvenir à nos besoins.

– Quel collège fréquentiez-vous à Paris ?

Après avoir donné les renseignements nécessaires, Épicène s'assit et sortit de son sac l'édition bilingue de l'*Iliade*. Elle se plongea dans cette lecture.

Le principal appela le collège parisien où on lui fournit des informations stupéfiantes sur Épicène Guillaume, qui confirmèrent son impression. Il demanda que son dossier scolaire soit envoyé à Brest et emmena la jeune fille en classe de 3ᵉ.

Pendant ce temps, Dominique avait rejoint les locaux de la société Terrage. Son ancien patron la reçut sans difficultés.

– J'ai quitté mon mari, annonça-t-elle. Je me

doute que le métier a changé ces vingt dernières années mais si vous acceptez de m'employer, j'apprendrai.

— On vous doit bien cela, répondit le patron.

Voyant son air ahuri, il lui expliqua :

— C'est grâce à vous que j'ai engagé Claude.

— Je ne comprends pas.

— Il y a vingt ans, quand ce blanc-bec de vingt-cinq ans est venu m'expliquer son projet parisien, je suis resté dubitatif. Et puis il m'a dit qu'il était votre fiancé. Le fiancé de mon employée la plus sérieuse. C'est pour ça que j'ai eu confiance en lui. C'est donc grâce à vous que l'incroyable succès de Terrage Paris a été possible. Vous l'ignoriez ?

— À quelle date a eu lieu cette conversation ?

Le patron alla chercher dans ses registres et répondit :

— C'était le 15 septembre 1970.

Dominique blêmit. Elle avait rencontré Claude le 12 septembre. Le 15 septembre, il n'avait pas même encore dîné avec elle. À la vitesse de l'éclair, elle reconstitua le parcours mental de son époux : « Le samedi 12 septembre, il rencontre une gourde, comprend qu'elle fera l'affaire et obtient le nom de sa société. Le lundi 14 septembre, il demande rendez-vous au patron et l'obtient pour le lendemain. Le mardi 15 septembre, il est si sûr qu'il sera le fiancé de l'idiote qu'il l'annonce à son patron, obtenant ainsi sa confiance. Dans sa partie de poker, j'étais son seul atout. Cela a suffi. »

– Ça va, Dominique ?

– Oui. Un divorce, ce n'est jamais facile.

– Vous commencez lundi. Christelle est toujours là, elle vous expliquera.

Elle retourna chez ses parents dans un état second. « Je l'ai choisie parce qu'elle était assez belle pour jouer les femmes du monde et assez complexée pour que j'en fasse ce que je voulais », avait dit Claude à Reine. Il avait omis une sacrée pièce du dossier.

« Étais-je donc à ce point lisible ? » Rien qu'en la regardant à la terrasse de ce café, avant même de lui avoir adressé la parole, Claude avait deviné ce qu'il allait pouvoir obtenir de cette femme : tout. Y compris sa carrière.

Ensuite, il lui avait parlé. Que lui avait-elle dit, ce 12 septembre 1970 ? Deux fois rien. Et lui, après cinq minutes de conversation, il lui avait annoncé qu'il montait à Paris créer une société uniquement à partir des maigres éléments qu'elle lui avait confiés. Cela dépassait le coup de poker.

Et elle, pendant les années difficiles de leurs débuts parisiens, quand elle n'était plus sûre d'avoir épousé l'homme idéal, elle se répétait qu'en dépit du reste il fallait saluer une telle réussite professionnelle. Cela seul qu'elle avait persisté à admirer en lui, il le lui devait entièrement !

Certes, il fallait nuancer. Elle n'avait été que le sésame. Terrage Paris constituait une authentique prouesse. Mais ce qui rendait Dominique folle, c'est que Claude ne lui avait pas avoué un mot de son stratagème. Elle, qui eût été volontiers sa complice, sut qu'elle ne lui pardonnerait jamais cette manipulation.

« Qu'est-ce que ce mensonge comparé à ceux dont tu as découvert l'existence hier soir ? » Une goutte d'eau. Ce fut pourtant celle qui fit déborder le vase. Le sentiment d'horreur dans lequel elle baignait depuis la veille se mua en une colère inédite.

« Tu me crois prévisible, n'est-ce pas ? Tu te trompes », pensa-t-elle en refermant la portière de la voiture.

— J'ai retrouvé mon emploi chez Terrage, déclara-t-elle à ses parents.

— Et le collège Carnot a appelé pour dire que la petite était admise. Elle rentrera vers 17 heures, dit le grand-père.

— Vous êtes impressionnantes, chacune à votre manière, dit la grand-mère.

Ils ne lui posèrent aucune question sur son échec matrimonial. Elle leur en sut gré. Elle éprouvait un besoin profond de se confier, mais pas à eux. Une personne unique pouvait être sa confidente.

Celle-ci revint du collège en proie à l'enthousiasme.

– J'adore ce bahut, annonça-t-elle. Rien à voir avec les serre-têtes de Paris.

Les grands-parents se réjouirent d'avoir une petite-fille si positive. Dominique, stupéfaite de cette métamorphose, emmena l'adolescente dans sa chambre.

– Est-ce que je peux te raconter ? demanda-t-elle d'un air implorant.

– Vas-y, maman. J'espérais que tu le ferais.

Dominique ne sut pas et ne saurait jamais si c'était une bonne idée. Elle sut simplement que c'était plus fort qu'elle. Elle ne cacha rien à sa fille de la conversation intime qu'elle avait interceptée entre Claude et Reine ni de ce que son patron lui avait appris le matin.

Épicène buvait ses paroles, les yeux étrangement brillants. Quand sa mère eut fini de parler, la petite desserra enfin les dents :

– Quel type infect !

– Il est 19 heures. Hier, à cette heure-ci, j'étais la plus heureuse des femmes. Sais-tu le pire ?

C'est que je regrette d'avoir découvert la vérité. J'aurais pu rester heureuse. C'est comme si ma vie s'était effondrée.

— Maman, arrête ! Ces trois dernières années, tu avais mal tourné. Je ne te reconnaissais plus dans cette bourgeoise pomponnée, j'avais l'impression de t'avoir perdue.

— Tu as raison, je m'étais éloignée de toi. Pardonne-moi.

— Je n'ai rien à te pardonner. Tu étais tombée dans le piège de ce mec ignoble. Bravo, tu as formidablement bien réagi. Tu t'es délivrée de lui.

— Non. Je suis encore prisonnière.

— Ça passera. Divorce !

— Oh non. Pour divorcer, il faudrait renouer avec lui. Je ne veux plus jamais le voir, ni entendre le son de sa voix.

— Maman, si tu ne divorces pas, tu n'auras rien.

— Je ne veux pas de son argent.

— Là n'est pas la question. Il est indispensable de punir cet homme. Tu te rends compte

de ce qu'il a commis envers toi et envers moi ?
L'impunité serait insoutenable.

– Je n'aurai pas la force d'avoir affaire à lui,
ma chérie.

– Pas grave. Laisse-moi faire. Je divorcerai à
ta place.

– C'est impossible.

– Nous verrons. Je vais prendre contact avec
un avocat, tu n'auras qu'à signer les papiers.

Dominique considéra sa fille de quatorze ans
avec stupéfaction. En guise de réponse à ce
regard, Épicène dit :

– Je savais qu'il me haïssait, tu me l'as
confirmé. Il ne sait pas que je le hais encore
davantage. J'ai plusieurs longueurs d'avance sur
lui.

– Ce qu'il éprouve pour toi date de ta naissance.

– Cela ne se calcule pas en temps. Quant à ta
copine, je me permets de la trouver bizarre.

– Sa trahison me blesse profondément.

– « Trahison », le mot est exagéré. Disons
qu'elle a eu un comportement ambigu avec toi.

– Qu'est-ce qui l'empêchait de me révéler la vérité ?

– Je crois qu'elle désirait voir où il voulait en venir. Quel plan tordu ! En tout cas, que Reine te serve d'exemple : par deux fois, il y a vingt ans et hier, elle lui a tenu tête. Pourquoi n'as-tu pas eu cet instinct ?

– Parce que sinon, je n'aurais pas eu une fille aussi fabuleuse que toi, ma chérie.

« La pauvre, elle le pense vraiment ! se dit Épicène. À quel âge est-ce que je pourrai cesser de la protéger ? »

Dominique reprit sa chambre de jeune fille. Épicène eut le coup de foudre pour le grenier, où elle s'aménagea un lit et un bureau. Les grands-parents, trop heureux de ne plus être dédaignés, perdirent quinze ans en une nuit.

Une nouvelle vie commença.

Chaque matin, Épicène se rendait au collège dont elle ne tarda pas à devenir une figure emblématique. Elle excellait en toutes les matières et jouissait d'une popularité fantastique. Si l'on avait dit aux élèves que dans son collège parisien cette fille n'adressait la parole à personne, ils n'auraient pas pu le croire.

Quand elle rentrait à la maison, elle appelait l'avocat pour savoir comment avançait le divorce. Celui-ci prenait une tournure singulière. L'avocat de Claude finit par lâcher le morceau :

– Mon client s'en fiche.

Épicène répondit que cela ne l'étonnait pas mais que sa mère, elle, ne partageait pas ce point de vue. Elle contacta Reine Cléry et, de la manière la plus neutre et naturelle, demanda son témoignage.

– Vous pouvez compter sur moi, déclara-t-elle.

Lorsque Dominique revenait du travail, Épicène lui faisait signer des papiers qu'elle ne lisait qu'à peine. Lors de l'inévitable confrontation, la fille accompagna la mère. Elles eurent un choc en revoyant Claude : en huit mois, il avait changé au point d'en être méconnaissable. Cet homme plein de superbe et d'arrogance ressemblait désormais à une épave au regard éteint. Celle qui était encore son épouse détourna les yeux.

– Le divorce te réussit, lui dit-il. Tu es très en forme.

– Le divorce nous réussit, répondit Épicène. Moi aussi, je divorce de toi.

Il ressortit que Claude leur laissait tout ce qui était possible. « Cela ne s'appelle pas un divorce à l'amiable, remarqua l'avocat, mais un divorce-testament. Mon client vous lègue tout de son vivant. »

De son vivant, c'était de justesse. Claude Guillaume n'appartenait plus au monde des vivants. Il avait confié la direction de Terrage Paris à son numéro deux, un homme avisé qui s'acquittait à merveille du rôle de vice-président.

Lorsque Dominique et Épicène passèrent par la rue de Bourgogne pour reprendre leurs affaires, elles tombèrent sur un appartement de clochard dépressif. Le maître des lieux ne quittait visiblement son lit que pour ouvrir la porte au livreur de pizzas. Sans presque y toucher, vu les cartons ouverts qui jonchaient le sol. Une odeur pestilentielle s'en dégageait, qui n'avait pas l'air de le déranger. Même leur intrusion momentanée ne suscita aucune réaction, il continua à diriger un regard vide sur le téléviseur allumé.

Au moment de partir, l'adolescente de quinze ans pensa qu'elle ne verrait plus jamais son père. Elle en éprouva un soulagement profond.


Pendant plusieurs mois, Dominique ne sortit pas du ressassement. À brûle-pourpoint, elle posait à sa fille des questions telles que :

– Le 15 septembre 1970, pourquoi mon patron n'a-t-il pas éprouvé le besoin de vérifier auprès de moi ce que Claude lui avait déclaré ?

– Parce que Claude avait obtenu sa confiance.

– Et comment Claude avait-il deviné que le patron n'irait pas m'interroger ?

— Parce que tu étais le genre de fille coincée à qui on ne parle pas facilement.

— Pourquoi trouves-tu toujours la bonne réponse ?

— Parce que, a posteriori, cette affaire est cousue de fil blanc.

Elles ne disaient plus « ton père » ou « ton mari », mais Claude.

— En latin, Claude signifie « boiteux ». Le contraire du mec droit dans ses bottes, déclara Épicène.

Un jour que sa mère tournait en boucle dans le questionnement, la fille lui dit de passer à autre chose.

— Tu as gagné le divorce, ajouta-t-elle.

— Personne ne gagne un divorce. C'est toujours un échec pour tout le monde.

Épicène, qui n'était pas de cet avis, changea d'argument :

— Quelle que soit la partie, tu l'as gagnée.

— Comment peux-tu le penser ? Claude m'a humiliée pendant vingt ans.

— Non. Il t'a trompée. Et toi, tu étais trop

loyale pour soupçonner un stratagème aussi immonde.

— Si ce n'était que cela ! Je l'aimais. Comment peut-on se remettre d'avoir autant aimé qui prétendait nous aimer ?

L'adolescente réfléchit.

— Sois fière d'avoir aimé, maman. La personne qui aime est toujours la plus forte. La preuve : compare ta santé présente à celle de Claude.

— Lui aussi, il aime.

— Reine a raison : ce n'est pas de l'amour, c'est de l'obsession. Toi, tu as le meilleur motif de vengeance, et tu n'y songes pas.

— Comment sais-tu que je l'aime encore ?

— Je te connais. Regarde cet imbécile prêt à gâcher sa vie entière pour se venger : il a tout raté. Reine s'en fiche et il n'a rien obtenu. Alors que toi qui t'es toujours conduite de manière irréprochable, tu vois ton ennemi mordre la poussière.

— Le pire, c'est que je n'y ai aucun plaisir.

— Aurais-tu vraiment préféré que Reine quitte son mari pour Claude ?

– Non ! Pauvre Reine, je l'aime trop pour ça.

Épicène sourit de cette réponse. Sa mère n'était donc pas indécrottable. La gamine reprit :

– Dans un mois, dans un an, tu te réveilleras un matin en t'apercevant que tu ne souffres plus.

– Comment sais-tu de telles choses ?

Entre ses onze et ses quatorze ans, la gosse était morte pendant plusieurs siècles. Ces années de cœlacanthe lui avaient donné accès aux archives des Enfers. À présent qu'elle était revenue à la vie, elle pouvait convoquer à volonté cette mémoire. Elle se garda de le dire et se contenta de hausser les épaules.

« La personne qui aime est toujours la plus forte » : Dominique fut frappée par la vérité de cette déclaration de sa fille. Elle avait beau être dévastée par ce qu'elle avait découvert, elle débordait de puissance. Peu à peu, elle se rendit compte que d'être éloignée de Claude la ragaillardissait. Aussi longtemps qu'elle avait vécu avec lui, elle avait été privée d'une grande part de son énergie, qui désormais lui était rendue.

Certains jours, elle se disait : « Que vais-je faire de tout cet amour ? »

Les prétendants ne manquèrent pas. Elle les éconduisit : elle ne pouvait pas s'obliger à les trouver séduisants.

Par bonheur, elle aimait profondément Épicène, qui le lui rendait bien. Elles se montraient peu cet amour mais elles le ressentaient sans discontinuer.


Vint le jour où Dominique dit à ses parents qu'elles avaient les moyens de louer un logement.

— Veux-tu partir ? demanda son père avec inquiétude.

— Pas du tout. J'ai seulement peur de vous encombrer.

— Ta mère et moi, nous sommes enchantés de ta présence et de celle de la petite.

Elles furent heureuses de rester. Épicène avait une passion pour son grand-père. Il connaissait par cœur des pages et des pages de poésie de Victor Hugo et les lui récitait de sa voix rocailleuse.

« Dire que Claude avait honte d'avoir épousé la fille d'un tel homme », pensait-elle.

Intimement, l'adolescente savait que le combat qui l'opposait à son père était beaucoup plus dur que celui qui opposait sa mère à son mari. Dominique avait à triompher de l'amour : c'était déjà gagné. Épicène avait à triompher de la haine : c'était inextricable.

Ne plus jamais avoir affaire à celui qu'elle haïssait constituait une grande victoire. Hélas, même si elle parvenait à le chasser de ses pensées, elle sentait trop souvent sa présence en elle. La nuit, il lui arrivait de se réveiller en proie à des crises de haine : non seulement elle ne se rendormait pas mais en plus elle souffrait autant que si elle avait eu du poison dans le sang.

Quand on a été mordu par un serpent, il faut

aspirer le venin et le recracher. «Comment pro-céder quand la morsure est située partout en soi ?» se demandait-elle.


Épicène obtint le baccalauréat avec la men-tion la plus élevée. À la surprise générale, elle s'inscrivit en cursus d'anglais à l'université de Rennes.

– Pourquoi l'anglais ? lui demanda-t-on.

– Parce que c'est la langue de Shakespeare, contemporain de Ben Jonson, répondit-elle.

– C'est à cause de ton prénom ?

– Voilà.

Les gens avaient l'air de trouver qu'il s'agis-sait d'un motif un peu léger. Épicène pensait qu'il n'en était rien. Quelle meilleure façon de déjouer le *tragic flaw* qui la hantait qu'en l'étu-diant à la source ? Pour ce qu'elle connaissait des héros élisabéthains, eux au moins éprou-vaient des sentiments aussi démesurés que les siens.

Ses années rennaises lui plurent beaucoup.

Elle aima être appelée Épicîne d'un ton admiratif par la faculté entière. Elle choisit un maximum de cours reliés aux auteurs élisabéthains. La pièce qui portait son nom ne fut pas sa préférée. Elle relut *Richard III* jusqu'à l'intoxication.

Ses condisciples déploraient qu'une si belle fille fût à ce point inaccessible. Elle en souffrait aussi. Quand elle était attirée par quelqu'un, elle se sentait retenue par une force qui la clouait au mur.

Elle consacra sa thèse au verbe « *to crave* », de son apparition à nos jours. Sceptiques, les professeurs tentèrent de la dissuader : « Vous ne tiendrez pas la distance sur un pareil sujet. » Elle ne se laissa pas intimider.

À une amie qui l'interrogeait sur cette obsession étrange, elle répondit :

— Ce verbe, c'est moi.

— Et quel est ton complément ?

— Si je le savais !

Sa thèse éblouit les examinateurs. Elle passa l'agrégation haut la main. De retour à Brest, elle trouva un emploi de professeur d'anglais dans un établissement supérieur technique.

Comme Épicène ne semblait pas chercher autre chose, sa mère ne put s'empêcher de la questionner :

– Tout cela pour en arriver là ?

– J'aime mon métier.

– Aimes-tu ta vie ?

– Je n'en connais pas encore l'objet, répondit l'incarnation du verbe « *to crave* ».


Un jour qu'elle corrigeait une pile de devoirs, elle reçut un coup de téléphone.

– Dominique ? demanda une voix d'une raucité extrême.

– C'est Épicène, répondit-elle. Qui est à l'appareil ?

– C'est ton père.

Silence.

– Je t'appelle de l'hôpital. J'ai le cancer du poumon. Amusant, moi qui n'ai jamais fumé.

– Tu voulais parler à maman ?

– Non. Je sais qu'elle refuserait. C'est à toi que je voulais parler.

– Je t'écoute.

– Eh bien voilà. Je suis au stade terminal. J'en ai pour au maximum un mois, plus probablement une semaine.

Il se tut, espérant une parole de compassion qui ne vint pas, et continua :

– Je voudrais te revoir.

– Pourquoi ?

– Je ne sais pas. J'en ressens le besoin. Je suis à l'hôpital. Ne tarde pas.

Il raccrocha.

Quand sa mère rentra du travail, Épicène lui raconta.

– Le cancer du poumon ! s'exclama Dominique.

– Je vais aller le voir.

– Es-tu sûre ?

– Il s'agit des dernières volontés d'un mourant. Je ne peux pas me dérober.

Le lendemain, la jeune femme de vingt-cinq ans prit le train pour Paris. Elle n'y avait plus mis les pieds depuis dix années. Pendant le trajet, elle essaya de se concentrer sur ce qu'elle attendait de ses retrouvailles avec Claude. Peine perdue : son esprit refusait l'obstacle.

Une infirmière l'escorta jusqu'à la chambre.

– C'est votre père ? Attention, vous risquez d'avoir un choc.

« Si vous saviez ! » pensa-t-elle.

– Monsieur Guillaume, j'ai une surprise pour vous : c'est votre fille, annonça l'infirmière d'une voix douce, avant de s'en aller.

Épicène découvrit un corps rabougri, dont la poitrine était enchâssée dans un genre de respirateur géant qui se soulevait et s'abaissait avec régularité.

– Bonjour, Épicène.

Elle ne parvint pas à répondre.

– Je ne t'avais plus vue depuis dix ans. Que tu es devenue belle ! On dirait ta mère au même âge.

Ces paroles aimables ne lui inspirèrent aucune confiance. Elle se tut.

– Que fais-tu ?

– Je suis professeure d'anglais. J'ai passé l'agrégation.

– Bravo ! C'est magnifique.

C'était la première fois que son père la félicitait. Elle eut honte du plaisir qu'elle en éprouva.

– J'ai écrit une thèse sur le verbe « *to crave* ».

– Peux-tu traduire ?

– Cela signifie « avoir un besoin éperdu de ».

– *To crave.* Eh bien, c'était le verbe de ma vie et je ne le connaissais pas. J'en ai pourtant sacrément exploré le sens.

La jeune femme cacha son trouble.

– L'anglais est une langue étonnante, reprit-il. Un seul mot suffit là où nous affaiblissons à coups de périphrases.

– *And now, what are you craving for ?*

– Plus rien. Même mourir m'intéresse peu.

– Alors, pourquoi voulais-tu que je vienne ?

– Par curiosité. J'ai éprouvé le désir à son degré le plus convulsif et j'ai échoué. Sur son lit de mort, un homme qui a à ce point raté son objectif ne peut s'empêcher de faire le bilan. Terrage Paris, je m'en fiche. Ce que je laisse sur cette terre, la trace de mon passage, c'est toi !

– Tu me hais.

– Tu parles d'un temps qui n'existe plus. C'était pendant ma vengeance.

– Comment as-tu pu vouloir te venger d'une femme que tu aimais ?

– C'est à cause de ton verbe anglais, *to crave*. Je l'aimais comme ça, tu vois. Quand elle m'a quitté, mon besoin éperdu d'elle a persisté. Pour moi, la manière de garder le lien privilégié avec cette femme a été la colère.

– N'aurais-tu pas pu en inventer un autre ?

– Manifestement non.

– Tant qu'à te venger, pourquoi ne l'as-tu pas assassinée ?

– C'est ce que tu aurais voulu ?

– Je n'aurais rien voulu, mais j'aurais compris le crime passionnel.

– Le meurtre est trop rapide. Pas assez cruel. Je voulais qu'elle souffre.

– Quel échec !

– Je sais.

– Et maintenant, as-tu honte ?

– Honte de quoi ?

– Du mal que tu as fait à maman ?

– Elle s'en remet très bien, il me semble.

– Et du mal que tu m'as fait à moi ?

– Quand je vois le résultat, non, je n'ai pas honte. Tu as l'air d'une jeune femme bien dans sa peau.

– Ce n'est pas grâce à toi.

Elle voulut lui parler de ses crises de haine. Sans savoir pourquoi, elle s'abstint.

– Non, je n'ai pas honte, reprit-il. Ça servirait à quoi ?

– À me soulager.

– Tu crois à ces choses-là, toi ? Les remords, quelle idiotie !

– La vengeance, tu trouves cela plus intelligent ?

– Non. Mais je la comprends.

– Donc, si c'était à refaire, tu recommencerais ?

– J'espère que j'inventerais une vengeance plus efficace.

– Tu n'as rien appris. Regarde, moi aussi, je t'en ai tellement voulu. Je n'ai pas levé le petit doigt. Moralité, qui est-ce qui meurt d'un cancer du poumon ?

Il rit :

– Tu es bien ma fille.

– Justement non. Je crois en une justice immanente.

– Et cela te suffit ? dit-il d'un ton plein de sous-entendus.

– Mon mal vient de plus loin.

– C'est parce que tu te méfies des autres. Quand tu aimeras d'amour fou, tu me comprendras.

– À cause de toi, je suis incapable de cet amour-là. Ce n'est pas des autres que je me méfie, c'est de moi. À cause de toi.

– Il y a une minute, tu soulignais ta différence.

– Je ne suis pas ta copie conforme, mais il y a beaucoup de toi en moi. Par exemple, le verbe « *to crave* » me hante, moi aussi, sauf que j'ignore l'objet de mon besoin.

– C'est intéressant.

– C'est plus frustrant qu'intéressant. Est-ce que je peux te poser une question ?

– Je t'en prie.

– Au-delà de son absurdité, ce qui me dépasse le plus dans ta stratégie de vengeance, c'est sa durée. Comment as-tu pu conserver un objectif aussi délirant pendant près de vingt ans ?

– Parce que le temps n'avait plus de valeur pour moi. Il y a un poisson des abysses qui s'appelle le cœlacanthe : quand il n'a plus les moyens de vivre, il programme sa mort. Il se met en mode comateux jusqu'à ce que les conditions de sa vie se rétablissent. Le temps n'existe plus pour lui.

— Je sais de quoi tu parles, murmura la jeune femme.

L'homme ne releva pas.

— Tu n'as pas bonne mine, dit-il.

— C'est la cantine qui se moque du réfectoire.

— Pourquoi évites-tu de me regarder ?

Épicène se força à contempler la figure paternelle. Pendant quelques instants, ce fut un duel d'yeux.

— Tu vas mieux qu'il y a dix ans, commenta la fille. Ton regard n'est plus éteint.

— Tu as raison. L'imminence de ma mort me délivre.

— Pourquoi ne t'es-tu pas suicidé il y a dix ans ?

— Bonne question. Je n'ai pas pu m'empêcher d'attendre un rebondissement.

— Que Reine te revienne ?

— Non, je n'en suis pas à croire au Père Noël. C'est comme si je ne pouvais pas accepter que cela se termine aussi bêtement. Le plus terrible, ce n'est pas d'être malheureux, c'est que cela n'ait aucun sens.

La jeune femme observa l'appareil qui lui compressait la poitrine.

– Est-ce douloureux ?

– Sans ce respirateur, je serais déjà mort. Moi qui ai besoin de sens, je suis content de mourir d'une maladie du souffle. Mon désir de vengeance m'a littéralement asphyxié.

Épicène vit le fil électrique qui reliait la machine à la prise de courant. Il se passa une chose formidable : elle débrancha le respirateur. La seconde d'avant, elle ne savait pas qu'elle le ferait.

Claude eut juste le temps de comprendre. Il ouvrit des yeux extatiques. Avec une vraie stupéfaction, sa fille le regarda étouffer. Moins d'une demi-minute plus tard, il était mort.

Toujours sans réfléchir, Épicène rebrancha l'appareil. Puis elle sortit de la chambre en appelant à l'aide :

– Venez vite ! Il est arrivé quelque chose à mon père !

Elle ne jouait pas la comédie, elle était authentiquement bouleversée.

L'infirmière accourut.

— Mademoiselle, je suis désolée, votre père est mort, annonça-t-elle.

— Je ne comprends pas, s'écria Épicène. Nous parlions calmement et tout à coup je l'ai vu s'asphyxier.

— Heureusement, vous étiez là. Il est mort en compagnie de sa fille chérie. C'est ainsi que nous espérons tous partir. Voulez-vous téléphoner à quelqu'un ?

— Je n'en aurais pas la force, répondit la jeune femme en s'écroulant sur un siège.

— Je vais chercher un médecin, dit l'infirmière en quittant la pièce.

Selon le prince de Ligne, il n'existe pas de mal en dehors de la préméditation : il identifie celle-ci à la vulgarité. D'après ce prince, un méfait accompli dans l'instant n'est que véniel.

Épicène n'avait pas lu Ligne mais elle fut en mesure de vérifier sa pensée. D'avoir agi sans une fraction de seconde de préméditation, elle se sentit immédiatement innocente. Elle n'avait pas perdu la raison, elle savait qu'elle avait tué son père. Mais il lui fut accordé de n'en éprouver aucun remords.

Mieux : pendant les quelques moments stupéfaits où elle le vit mourir, elle éprouva une allégresse indicible. Elle vécut cela comme la preuve, s'il en fallait une, que la grâce s'était mêlée de cette affaire.

Elle était consciente que sa conviction ne résisterait pas à l'analyse. Elle se rappelait avoir décidé, à l'âge de onze ans, qu'elle tuerait son père. Sa haine envers lui n'avait jamais décru. Pourtant, elle ne douta pas de son innocence.

Afin de ne pas verser dans la complaisance, elle résolut de garder ce secret pour elle. Comment partager ce qu'aucun langage ne pourrait exprimer ?

Pendant ce temps, l'infirmière mit le médecin au courant.

– Sommes-nous responsables ? demanda-t-il.

– Non, selon toute vraisemblance. Néanmoins, je suggère de ne pas approfondir la question. On ne peut pas exclure qu'une fluctuation d'électricité se soit produite.

– Comment va la fille du mort ?

– Elle est bouleversée.

– Faites-lui signer la dérogation. On n'est jamais trop prudent.

Sans avoir l'air de s'en rendre compte, Épicène sut qu'elle signait un formulaire qui, mettant l'hôpital hors de cause, l'innocentait aussi : son père était décédé suite à un cancer du poumon.

– C'est comme s'il avait attendu ma visite pour mourir, dit-elle.

– N'en doutez pas, assura le médecin.

Elle demanda si l'on pouvait faire rapatrier le corps à Brest pour les obsèques. On la mit en rapport avec les pompes funèbres. Après de nombreuses formalités, elle retourna à la gare Montparnasse.

Dès le départ du train, elle s'abandonna à une joie inconnue. En son cœur, elle parla au défunt :

« Je ne te ressemble pas. Pour preuve, tu as sacrifié ta vie à une vengeance qui s'est révélée un échec complet. Et moi, sans même une seconde de préméditation, j'obtiens la vengeance la plus éblouissante de l'Histoire. » Elle exulta d'un tel progrès des générations.

À son retour, Épicène prit sa mère à part :

– Claude est mort à l'hôpital pendant que je lui parlais.

Dominique se décomposa.

– Il n'a pas souffert. Tout s'est passé comme s'il attendait ma présence pour mourir.

– Est-ce qu'il t'a parlé de moi ?

– Maman, je ne vais pas te mentir. Non, il n'a pas parlé de toi, il n'a pas manifesté de remords. Mais j'ai eu affaire à un homme sans haine. Je te jure qu'il a eu le meilleur trépas qu'il pouvait avoir.

La jeune femme livrait ainsi le fond de sa pensée.

Dominique éclata en sanglots.

– Tu pleures parce qu'il ne m'a pas parlé de toi, maman ?

– Non. Je pleure la mort de l'homme de ma vie.

– Je comprends. C'est pour ça que j'ai organisé le rapatriement du corps à Brest. La cérémonie aura lieu dimanche.

Ensuite, Épicène alla annoncer la nouvelle à ses grands-parents. Ils réagirent avec dignité. La jeune femme admira la discrétion de ces aïeux qui ne posaient jamais la moindre question sur ce drame conjugal.


Le prêtre n'eut pas l'air de s'émouvoir qu'il n'y ait que quatre personnes aux obsèques. Tandis qu'il procédait au rituel, une retardataire arriva.

« Quelle audace ! Elle ne manque pas de culot », se dit Épicène.

À cinquante-cinq ans, Reine avait atteint une beauté surnaturelle. Longue, mince, en grand deuil, une majestueuse absence de douleur.

Dominique sursauta à sa vue et redoubla de sanglots.

Le petit cortège marcha vers le cimetière. Sans vergogne, Reine prit le bras de son amie. Aucune résistance ne lui fut opposée.

L'enterrement proprement dit bouleversa. Épicène ne put se défendre d'un frisson quand elle jeta sa pelletée de glaise sur le cercueil. L'homme de Dieu prononça une phrase lourde de sens :

– L'amour inspiré par un être ne se mesure pas au nombre de personnes présentes à son inhumation.

Lorsque ce fut achevé, la jeune femme raccompagna ses grands-parents qui, fidèles à eux-mêmes, ne demandèrent pas l'identité de la dame qui était restée avec leur fille devant la tombe.


– Je suis venue vous prier de bien vouloir me pardonner, Dominique. Tant de souffrances auraient été évitées si je n'avais pas commis l'erreur de me taire.

– Pourquoi ne m'avez-vous rien dit ?

– J'ai pensé qu'il fallait avouer la vérité d'entrée de jeu ou alors jamais. Et comme j'avais mis quelque temps à comprendre qui était votre mari, il m'a semblé qu'il était trop tard. J'ai eu tort. Pourrez-vous me pardonner ?

La veuve eut un geste d'assentiment.

– En voici un qui ne va pas nous manquer, ajouta Reine en ayant vers la tombe un geste du menton.

– Vous dites cela alors que vous n'avez pas pu vous empêcher d'assister à ses funérailles.

– Cela fait plus de dix ans que je cherche un prétexte pour renouer avec vous. L'occasion m'a semblé propice. C'est pour vous que je suis ici et non pour lui.

– Savez-vous ce qui me torture le plus dans cette affaire ? Ce n'est pas le mensonge. la trahison ni la manipulation. C'est de ne pas avoir été le premier rôle de ma propre vie. Je n'étais qu'un tiers, ce qui m'a assassinée était une balle perdue, rien ne m'était destiné. Cette histoire ne me concernait ni de près ni de loin. Sur ma tombe, il faudra écrire : « Dominique Rosec, tierce personne. »

Reine posa la main sur l'épaule de son amie et dit :

– Vous vous trompez. C'était Claude, la tierce personne.

# DU MÊME AUTEUR

*Composition IGS-CP*
*Impression CPI Bussière en octobre 2018*
*Éditions Albin Michel*
*22, rue Huyghens, 75014 Paris*
*www.albin-michel.fr*
*ISBN : 978-2-226-43734-1*
*ISSN : 9782-2261*
*N° d'édition : 23164/07 – N° d'impression : 2040582*
*Dépôt légal : août 2018*
*Imprimé en France*